ENTRE CHIEN ET LOUP

Charlotte MASSEY

ENTRE CHIEN

ET LOUP

(*The Wolves of Monte Neve*)

Roman traduit de l'anglais
par Denyse Renaud

LES EDITIONS MONDIALES
2, rue des Italiens — Paris-9e

ISBN N° 2-7074-1413-1

ENTRE CHIEN ET LOUP

Si seulement on avait suivi le semeur de discordes, si une fois encore on s'était méfié de l'eau qui dort, Elizabeth ne serait pas seule, dans ces montagnes, à guetter, terrorisée, l'apparition des loups...

PROLOGUE

Sa cheville lui faisait affreusement mal. Elle plongea son pied nu dans l'eau glacée pour que le froid effaçât la douleur. L'eau devrait diminuer l'enflure, pensa-t-elle. Puis elle se demanda si finalement elle n'avait pas la cheville fracturée.

Elle était assise au bord du petit torrent de montagne, le dos appuyé contre un rocher. Sa main gauche se crispait sur une poignée de cailloux mouillés tandis que de la droite, elle massait le genou de sa jambe blessée, comme pour tenter de barrer la route à la douleur qui montait, pour essayer de nier la souffrance et la peur.

Mais la peur était présente, indéniablement, car elle était sûre qu'il ne s'agissait pas d'un accident. Elle se remémora la succession rapide des faits qui s'étaient déroulés au cours des dernières cinq ou six minutes : à un moment, elle avait été en équilibre instable sur une pierre du gué, la main tendue pour saisir celle de son compagnon, et puis, juste à la seconde où celui-ci lui avait fait signe de s'élancer, il avait laissé retomber sa main, et elle n'avait trouvé que le vide. Et il n'avait pas tenté de l'aider, Elizabeth en était certaine, quand son pied avait heurté la pierre mobile

pour se tordre sur la surface mouillée. Aussitôt, la
douleur aiguë s'était emparée de sa cheville...

Elle sortit son pied de l'eau avec soulagement.
L'eau glacée, impossible à supporter plus longtemps,
ruisselait sur sa cheville gonflée. Mais quand son pied
nu se réchauffa un peu, la souffrance revint. Son
jupon et sa jupe de cavalière étaient alourdis par
l'humidité. Ses manches aussi étaient mouillées
jusqu'aux coudes. « Dieu merci, j'ai eu la présence
d'esprit de sauter de la pierre en amont du torrent ! »
pensa-t-elle avec effroi en jetant un regard vers le lieu
de sa mésaventure.

Les rochers étaient alignés juste au-dessus d'une
petite chute d'eau. Du côté de la montagne, le ruisseau
était peu profond : l'eau ne montait guère que
jusqu'aux genoux, mais l'autre côté révélait une image
effrayante : une paroi abrupte de deux à trois mètres,
au bas de laquelle de gros rochers émergeaient d'une
nappe d'eau obscure. Etait-ce cela qu'il avait souhaité ? Lui faire perdre l'équilibre pour qu'elle tombât dans la sombre mare ? De nouveau, Elizabeth frissonna, fermant les yeux pour ne plus voir l'effrayante
image.

Après cet échec, allait-il recommencer ?

Elle ouvrit les yeux et regarda, de l'autre côté du
torrent : il s'occupait des chevaux. Derrière lui, se
dressait la masse étincelante du *Monte* Neve. Derrière
son sommet coiffé de neige éternelle, les nuages gris
s'amoncelaient. Un vent froid se levait.

Elizabeth se détourna de la montagne et de nouveau regarda l'autre côté de l'eau. Il venait de se mettre en selle et conduisait le second cheval, le gris, sa
monture à elle, par la bride. Il passa devant les pierres
du gué, amena les chevaux en un point où il y avait

très peu d'eau, et disparut un moment avec eux derrière un promontoire. Pendant quelques instants, Elizabeth n'entendit plus que le pas des chevaux sur les
pierres. Les nerfs tendus, elle attendit qu'ils reparus-
sent. Quand elle revit l'homme, elle remarqua le sac
de grosse toile fixé au pommeau de sa selle. Il arrêta
les chevaux sur un rocher plat, devant elle. Son grand
chapeau de paysan était tiré en avant, cachant la moitié de sa figure. Tout ce qu'elle voyait était la bouche
et la barbe de la journée qui assombrissait le menton.

Ils se regardèrent en silence. Leurs pensées étaient
trop brutalement explicites pour s'exprimer en paroles, mais il rompit cette franchise en demandant :

— Votre cheville... Elle vous fait mal ?

— Oui.

Elle était penchée en avant, recroquevillée pour
offrir moins de prise au vent. Puis, tout à coup, elle
décida de vérifier ses soupçons en les exposant.

— Vous vouliez que je tombe, n'est-ce pas ? Vous
n'avez aucunement l'intention de me ramener avec
vous ?

Il continua à la regarder en face, laissant son
silence lui dire qu'une réponse n'était pas nécessaire.
Sous l'ombre du chapeau, Elizabeth vit errer un sourire, réplique plus menaçante que des paroles. Et soudain elle se souvint de tout : la main tendue vers elle,
passant brusquement devant ses doigts pour effleurer
son coude et lui faire perdre l'équilibre. *Il avait essayé
de la tuer* ! Cette pensée fit naître en elle une terreur
comme elle n'en avait pas éprouvé depuis son
enfance : ces rêves à la villa, l'horrible cauchemar
dans lequel elle tombait dans un sombre, intermina-
ble tunnel...

— Il fera nuit dans quelques heures.

Elle ne voyait pas ses yeux. Le chapeau poussiéreux ressemblait à un masque, à la capuche d'un bour-
reau. Blottie sur son rocher, elle regarda ses mains
posées sur le pommeau, des mains puissantes, posées
légèrement à côté du sac de toile et de son volumineux
contenu.

Désignant le sac d'un geste du menton, Elizabeth
demanda :

— Vous l'emportez ?

— Naturellement.

— Vous n'avez pas le droit !

— Qui m'en empêcherait ? Vous ?

Un sourire moqueur apparut sur ses lèvres. Elizabeth se redressa lentement, prudemment, comme si
tous ses muscles étaient tendus par la souffrance.

— Vous n'avez pas le droit. Vous ne pouvez pas
faire cela ! Ils le découvriront. Même si vous me tuez,
ils le sauront !

— Je n'ai pas besoin de vous tuer.

— Vous avez essayé il y a un instant.

— Une erreur de jugement, c'est tout. Mais...

Il s'interrompit délibérément et se retourna pour
contempler les nuages qui entouraient maintenant le
sommet du *Monte* Neve.

— Je crois qu'il va neiger cette nuit, dit-il. Et sûrement demain. Vous ne pourrez pas aller bien loin avec
cette cheville.

— Mon cheval ?...

Il secoua la tête.

— Je l'emmène. Je le lâcherai demain. Suffisamment près de la villa pour qu'il retrouve le chemin de
son écurie. On en conclura que vous avez eu un accident.

— On me recherchera !

Il hocha la tête.

— Et je me joindrai aux chercheurs, mais naturellement je ne les amènerai pas ici. En tout cas pas pendant un jour ou deux tout au moins. A ce moment, hélas !...

La phrase s'acheva par un haussement d'épaules, les mains puissantes se tendant en un geste d'ironique impuissance.

— Ils me trouveront !

— Peut-être. Mais après deux ou trois jours... à cette altitude, avec la neige et une cheville cassée... et les loups, naturellement...

— Les loups ! répéta la jeune fille effrayée.

— Dès qu'il neigera, ils rôderont dans les hautes forêts, descendant des sommets, chassant en bandes...

— Assez ! cria-t-elle, s'efforçant de garder une voix calme.

— Ainsi, vous le voyez, je n'ai pas besoin de vous tuer, *signorina*. La nature s'en chargera...

Elizabeth retomba contre le rocher, les yeux agrandis d'épouvante.

Epouvante, puis fureur. « Je sortirai de là d'une manière ou d'une autre. Je le jure ! Je descendrai de ces montagnes ! »

— Adieu, *signorina*.

Ses lèvres se tordirent en un dernier sourire moqueur. Le bord crasseux du chapeau cachait toujours les yeux. Il poussa en avant sa monture. Le second cheval suivit. Son cheval à elle.

Elizabeth regarda la montagne pour ne pas les voir s'éloigner. Pendant quelques instants, elle réussit presque à se persuader qu'elle parviendrait à quitter ce lieu.

Peut-être pouvait-il encore la voir ? Elle se leva,

ferme et résolue. La nuit ne tomberait que dans quelques heures, pensa-t-elle. Un frisson glacé courut le long de son dos.

Quelques heures de jour. Du temps pour penser, pour se souvenir de tout ce qui s'était passé depuis le matin de son arrivée à Piazza Domenica...

CHAPITRE PREMIER

Le village blanc et ocre de Piazza Domenica avait été creusé dans les éminences rocheuses au pied des Apennins. Ses toits de tuiles rouges semblaient grimper le long d'une pente raide pour soutenir l'église qui les dominait. Vue de la campagne environnante, la maison de Dieu paraissait mériter le nom assez prétentieux qu'on lui donnait dans le pays : *la cathédrale*.

En ce mois de septembre 1877, le soleil automnal mettait en valeur de façon superbe l'édifice. Néanmoins, malgré son surnom, cette église n'était pas différente des autres lieux paroissiens de la vallée. Il manquait quelques tuiles à son toit. Et les poutres massives étaient noircies par l'âge, les toiles d'araignées et la fumée de l'encens et des cierges de deux siècles. Les ornements de stuc étaient ébréchés ou brisés par endroits. Pourtant, en dépit de tant de signes de négligence et de désuétude, *la cathédrale* était encore le centre de l'existence de nombreux habitants du village : elle possédait la tour la plus élevée et était le seul sanctuaire de la vallée à bénéficier de la présence permanente d'un prêtre.

Les villageois n'avaient pas spécialement peur de leur pasteur, car c'était un paysan comme eux, ni

meilleur ni pire que les quelques hommes d'église
encore présents dans la vallée. De son poste d'observation, au haut de l'église, le père Manca gardait l'œil
sur les activités du village.

Ou plutôt *avait* gardé l'œil jusqu'à ce jour-là.
Aujourd'hui était différent. Aujourd'hui, tous les
paroissiens, tous les paysans du Capragnano, toute
l'Italie, semblaient avoir surgi dans Piazza Domenica,
avoir grimpé les pentes et envahi non seulement *la
cathédrale*, mais le vestibule de la maison du curé !

Toutes les rues étroites qui entouraient l'église, les
fenêtres, les balcons et les toits étaient garnis de
curieux. La petite allée qui allait de l'église au cimetière était encombrée de spectateurs, et tous n'étaient
pas aussi déférents et graves que le père l'aurait
désiré, mais s'agitaient, excités comme s'il s'agissait
d'une fête. On piétinait les corbeilles de fleurs, on
écrasait les massifs, on montait sur les tombes ou on
les enjambait en cherchant un meilleur endroit pour
voir. L'air se chargeait d'un murmure qui n'était pas
une prière, mais un bavardage curieux qui noyait
presque les sonores *Ave* de l'évêque. Le père Manca, sa
Grâce l'évêque, le secrétaire de ce dernier et une douzaine d'acolytes s'efforçaient de conduire la proces-
sion jusqu'au cimetière.

Le père Manca savait que cet enterrement était le
plus splendide, et dans un sens, le plus représentatif,
des rassemblements que la vallée du Capragnano eût
jamais vus. L'assistance était célèbre en même temps
que puissante et illustre. Dangereuse même ! Garibaldi lui-même était là, vieilli, mais encore beau, por-
tant la tunique rouge devenue légendaire.

Et le prince était présent lui aussi. Le prince
Umberto, représentant le roi, ce roi qui était entré en

triomphe dans les états du pape, ce Victor-Emmanuel qui avait défié Sa Sainteté... Où allait le monde ?

Le prince Umberto marchait juste derrière l'évêque de sorte que le père Manca put examiner à loisir l'héritier du trône. Il était assez ordinaire, timide et gauche, avec un visage honnête. Il semblait avant tout soucieux de se comporter avec toute la dignité seyant à un futur monarque. Derrière le prince, deux ministres, des barons, des comtes et des généraux. Derrière eux venaient des diplomates étrangers, et enfin les dignitaires et officiels locaux, chacun essayant de se rapprocher le plus possible des personnages importants.

Et pourquoi tout cela ? Pour rendre un dernier hommage au cher camarade de combat, le général Quercia, fidèle disciple de Garibaldi.

Le père Manca avait assez bien connu le général défunt au cours des quatre années précédentes, mais nulle amitié ne les avait unis. Cependant le prêtre avait jugé prudent d'établir de bonnes relations avec cet homme. Et ce matin-là, il pouvait avoir la conscience en repos sur ce point. Si un prélat important consentait à officier à l'enterrement du général, un humble prêtre comme lui avait eu raison de ne pas s'opposer au propriétaire le plus influent de la vallée du Capragnano.

Le père Manca avait entendu le mourant en confession et il ne doutait pas d'avoir ainsi fait son devoir, mais, et là se trouvait le problème, en aidant le pénitent à sonder sa mémoire et sa conscience, le prêtre avait découvert une affaire qui pouvait être de la première importance pour les autorités ecclésiastiques, une information qui nécessitait sûrement une consultation de l'évêque.

Mais comment un simple prêtre pouvait-il parler d'un tel détail à son supérieur sans enfreindre le secret de la confession ?

La splendeur des personnalités officielles contrastait étrangement avec l'aspect souvent misérable des curieux entassés sur le tertre qui limitait le cimetière.

Elizabeth Oakwood se tenait parmi ces derniers. C'était une grande fille blonde dont la blouse blanche et la jupe de voyage à carreaux soulignaient la minceur. A cause de la chaleur, elle avait retiré sa cape et la portait, pliée, sur son bras.

— Anglaise ?

Ni de la voix, ni du regard, ni du geste, Elizabeth ne répondit au jeune homme qui s'était frayé un chemin jusqu'à elle. Ses yeux restaient fixés sur ce qui se passait autour de la tombe. Dans un moment, quand tout le monde aurait quitté le cimetière, elle s'en approcherait, s'agenouillerait et ajouterait ses prières pour le repos de l'âme du général Quercia. Plus tard, peut-être, elle commanderait une couronne mortuaire.

Que pouvait-elle faire d'autre ? Tout effort ne serait que de l'hypocrisie. Nulle réminiscence d'affection familiale n'incitait la jeune fille à la tristesse. Nul souvenir, car Elizabeth n'avait jamais connu son père. Elle le connaissait par ouï-dire, bien sûr. « Ton père est en Italie, ma chérie. Un soldat. Un homme très brave. » Et puis, après la mort de sa mère, les oncles d'Elizabeth avaient fait disparaître, en ce qui la concernait, le nom de Quercia et avec cela une bonne part de l'identité de l'enfant en le remplaçant par Oakwood. Après quoi, commodément, ils avaient envoyé leur nièce dans une respectable pension. Ainsi, depuis sa petite enfance, Elizabeth s'était tout aussi simplement adaptée à la solitude, sinon au véritable abandon.

— Vous êtes bien anglaise, n'est-ce pas ?

— Hum.

Imperceptible onomatopée, accompagnée d'un imperceptible signe de tête. La jeune fille ne se retourna pas.

— C'est bien ce que je pensais. Extraordinaire comme on reconnaît tout de suite les compatriotes quand on est à l'étranger !

Elizabeth s'écarta légèrement.

— Touriste ?

Drôle de touriste ! pensa-t-elle tristement en répondant par un vague signe de négation. Puis sa pensée revint aux trois jours précédents, à ce voyage précipité en train, jusqu'à Londres, puis de Londres à Douvres, à la traversée jusqu'à Calais, puis au long trajet parcouru à nouveau en train jusqu'à l'Italie. Une série d'impressions vagues, un monde brumeux de fatigue et de poussière dans lequel, seul, un télégramme froissé avait une signification : *Père malade désire vous voir. Venez, je vous en prie. Un ami. Piazza Domenica.* Et cependant, même à ce texte elle ne comprenait rien bien qu'elle l'eût relu maintes et maintes fois. Car dès qu'elle avait mis le pied sur le quai, le matin même, elle avait découvert que le général Quercia était déjà mort.

Le service était achevé, l'église se vidait et le cimetière se remplissait quand elle avait atteint sa destination. Trop tard. Sans l'avoir voulu. Et sans tristesse.

— Le grand bonhomme avec la barbe... C'est Garibaldi. Un type splendide, n'est-ce pas ?

Elizabeth jeta un bref regard de côté au guide qui lui imposait ses services. Si par « type splendide », cet étranger voulait donner l'impression d'un homme grand, robuste, séduisant d'une manière un peu fruste, la description pouvait, aussi heureusement, s'appliquer à lui.

— Tous ces gars en chemises rouges, ce sont des vétérans des légions garibaldiennes. Il y en a qui ont l'air de bandits. Le défunt était aussi bandit que les autres !

Elizabeth regarda au loin. Le soleil frappait durement à travers les oliviers, derrière le mur du cimetière. Conduite par l'évêque, l'assistance s'éloignait maintenant de la tombe.

— Saviez-vous que le général Quercia avait participé à l'invasion de la Sicile ? Et aussi...

— Merci. Je suis au courant de la carrière militaire du général, dit la jeune fille.

— Vraiment ? Bien ! Alors, pourrais-je vous demander ?...

« Non, vous ne pouvez pas », pensa Elizabeth. Et sans même un coup d'œil dans sa direction, elle se mit à descendre la pente, allant dans le sens opposé à la foule qui s'en allait.

A la grille du cimetière, les soldats faisaient reculer les gens pour permettre le passage de l'évêque et des grands personnages. Elizabeth aperçut sa tante Francesca, entre l'évêque et le prince Umberto. Un rapide coup d'œil, mais comment ne pas la reconnaître ? Elle affichait un digne chagrin.

Elizabeth s'arrêta près d'une haute pierre tombale pour examiner sa tante. Elle avait peu changé. Elle affectait encore la même manière sombre et sévère de s'habiller. Elle était encore très belle. Certes, sous la mantille noire, ses cheveux s'argentaient, et elle n'avait plus la taille fine, mais elle était belle tout de

même, froidement belle, comme ce marbre sculpté
auprès duquel se tenait la jeune fille. Au-dessus des
lèvres minces et du nez droit, les yeux de *Donna* Francesca brillaient, sans trahir la moindre émotion.

Il y avait toujours eu un éclair de fierté dans ces
yeux, se rappela Elizabeth, et quand tante Francesca
marchait, dans le bruissement de sa longue jupe
noire, la tête haute et les épaules droites, elle irradiait
l'orgueil, orgueil de sa famille, orgueil de son veuvage,
de son rang, de sa supériorité... de sa supériorité *imaginaire* et de son importance mondaine. Peu lui importait que son mari décédé eût été un membre peu relui-
sant d'une famille noble appauvrie, en province, ou
que son illustre frère le lui eût « acheté » ou encore
que son assez considérable dot eût été rapidement
dilapidée aux tables de jeu ou dans les maisons closes.
Tout cela importait peu. Seul comptait le fait que le
voluptueux infortuné, qui était mort dans les bras
d'une fille de joie génoise, avait donné à *Donna* Francesca deux enfants et le nom connu de Ricasoli-
Carminati qui avait une valeur à lui seul. Il permettait
à *Donna* Franscesca de parler des membres de la
famille royale, des ministres ou des personnages de la
société romaine comme si elle tenait au milieu d'eux
une place prépondérante, ce que tout le monde savait
faux. Mais *Donna* Francesca continuait résolument à
se vanter, et elle affichait un orgueil féroce et la certitude d'être immunisée contre les épreuves des gens
ordinaires. Et des paysans.

Comme tante Francesca devait savourer ces instants ! Avec le prince d'un côté et l'évêque de l'autre,
et une entière compagnie de soldats en beaux unifor-
mes pour maintenir la foule à bonne distance ! Com-

ment s'étonner de son chagrin excessif, de sa dignité presque exubérante ?

Pour Elizabeth, la vue de sa tante lui rappelait des souvenirs pénibles, longtemps repoussés, presque oubliés, de l'époque révolue où elle avait vécu, enfant, à Piazza Domenica. *Donna* Francesca n'avait jamais caché qu'elle n'aimait pas sa nièce anglaise.

A cet instant, elle ne regardait pas du côté d'Elizabeth. L'eût-elle fait qu'elle n'aurait sans doute pas reconnu l'enfant qu'elle n'avait pas vue depuis dix ans. Elizabeth, rassurée, quitta la protection du tombeau de marbre et s'approcha de la tombe récente.

— Bel enterrement, je dois le dire !

Le jeune Anglais était encore à côté d'elle. Il se pencha pour lire l'éloge inscrit sur un ruban fixé à l'une des couronnes de fleurs.

— Magnifique adieu, hein ? Je m'appelle Massingham. Albert Massingham.

Il se redressa et regarda la jeune fille hardiment, un léger sourire relevant le coin de ses lèvres.

— Je fais partie de l'ambassade, à Rome. Notre ambassade, naturellement. J'y occupe une place très modeste, j'en ai peur.

Le sourire s'accentua, et le jeune homme haussa les épaules. Elizabeth fut obligée de dire quelque chose :

— Il doit être agréable d'occuper une position où son absence n'attire pas l'attention de ses supérieurs !

— Oh !... Ils savent où je suis. Ma venue à Piazza Domenica est due à l'initiative de l'ambassadeur. Il m'a donné une lettre d'introduction pour le général Quercia à cause du livre que je suis en train d'écrire.

— Un livre ?

— Traitant des récentes campagnes en Italie. Peut-être devrais-je expliquer...

— Ce n'est vraiment pas la peine.

— Voyez-vous, j'ai écrit un livre sur mes aventures en tant que membre de la forcé expéditionnaire envoyée en Abyssinie voici huit ans : *La marche sur Magdala*. Peut-être l'avez-vous lu ?

— Non.

— En avez-vous entendu parler ?

— Je regrette...

— Inutile. Cela n'a rien de surprenant, en somme. Il s'agissait d'une édition assez modeste. Mais apparemment, le livre a plu dans les cercles officiels et il m'a fait considérer par l'office colonial comme un observateur expérimenté des problèmes de l'Abyssinie. Et comme les Italiens semblent trouver de l'intérêt à cette partie du monde depuis quelque temps, quelqu'un, à Whitehall, a pensé que je pourrais peut-être me rendre utile à notre ambassade ici.

— L'êtes-vous ?

— Utile à l'ambassade ? Pas que je sache. A vrai dire, je crois que l'ambassadeur m'a conseillé d'écrire ce livre sur les campagnes italiennes pour se débarrasser de moi.

— Je vois.

— Grâce à ma lettre d'introduction, le général Quercia m'a beaucoup aidé. Je suis logé dans sa villa depuis un mois : j'ai le plein accès à ses papiers. Des documents merveilleux ! Une énorme masse à consulter, mais cela m'intéresse. Dommage que le vieux soit parti si soudainement. Nous nous entendions à la perfection !

Albert Massingham regarda la tombe, puis son regard revint à Elizabeth.

— Dites donc... vous ne m'avez pas encore révélé la raison de votre présence à l'enterrement du vieux.

— Le général Quercia était mon père.

Elizabeth donna le renseignement avec simplicité, sans orgueil et sans tristesse.

Elle passa de l'autre côté de la tombe et s'agenouilla, laissant M. Massingham bouche bée de stupeur. A travers ses cils baissés, elle aperçut son visage qui rougissait d'embarras et ses mains levées en un geste de confusion impuissante.

Les prières ne lui venaient pas facilement, cependant, bien que sincèrement, elle désirât prier. Elle n'avait jamais connu son père. Et pourtant, pourtant... elle avait un vague, un fugitif souvenir des jours heureux, avant que sa mère ne tombât malade. Un très vague souvenir, mais qui devenait de plus en plus doux, de plus en plus mystérieux à chaque évocation. Le souvenir d'un homme de haute taille, avec une barbe noire, qui avait pris Elizabeth sur ses genoux et avait amusé l'enfant de cinq ans par son drôle de langage étranger... puis l'avait emportée dans sa chambre et déposée doucement dans le petit lit aux barreaux roses et blancs... lui revenait en mémoire le bruissement de la robe de sa mère qui sortait de la chambre sur la pointe des pieds, son bras passé autour de la taille de l'homme... sa tête levée vers lui, et l'homme à la barbe noire l'embrassant sur la joue... doucement, comme la porte se refermant derrière eux... comme un soupir de bien-être... doucement comme se ferment les yeux d'une enfant de cinq ans qui accepte innocemment les façons incompréhensibles des grandes personnes...

L'homme à la barbe noire était-il son père ?

Elizabeth se releva et épousseta les particules

d'herbe sèche et de terre accrochées au-devant de sa jupe. Albert Massingham n'était plus en vue. La foule s'était dispersée.

Elle s'avança lentement vers la grille, réfléchissant. Si elle trouvait une voiture au village, elle pourrait être de retour à Citta Capragnano deux heures plus tard, demander les horaires des trains à la gare, y reprendre ses bagages, trouver un hôtel, prendre un bain, se faire monter à dîner, lire un peu, se coucher de bonne heure, dormir, oublier. Et demain ?...

Cela ne paraissait pas très correct de regagner l'Angleterre sans avoir vu personne. La villa n'était qu'à cinq kilomètres du cimetière. Mais Elizabeth n'avait pas précisément envie de voir sa tante ou ses cousins.

Pour Giacomo, c'était différent. Ce n'était pas un cousin. Et quitter Piazza Domenica sans essayer de voir Giacomo serait comme effacer le peu de passé qu'elle avait, trahir le seul ami de cet été vieux de dix ans. Mais bien des choses avaient pu se passer durant cette décennie qui formait la moitié de son existence. Giacomo n'habitait peut-être plus à proximité de la villa ; il pouvait être parti. A l'armée, par exemple... Oui, Giacomo était à l'âge du service militaire maintenant. Et peut-être...

Peut-être même Giacomo était-il mort ?

Elizabeth se retourna pour regarder sans tristesse l'invraisemblable montagne de fleurs qui recouvrait la tombe du général Quercia, et l'idée que Giacomo Leonardi pouvait être mort lui parut intolérable. Car Elizabeth avait connu Giacomo tandis que son père n'était pour elle qu'un étranger. Le souvenir de Giacomo était précis dans sa mémoire : ce premier matin, à la villa, quand il avait franchi la muraille et offert à

la petite fille anglaise une orange et un melon encore
ruisselants de l'eau du puits où ils avaient passé la
moitié de la journée à rafraîchir. Ils s'étaient regar-
dés, et avaient ri silencieusement de se voir si différents l'un de l'autre, Giacomo au teint brun et aux
pieds nus, Elizabeth, pâle sous son ombrelle, timide,
ayant tout à fait l'air d'une petite écolière anglaise
avec son tablier vert et ses bottines à boutons. *Donna*
Francesca avait entendu le rire, elle avait chassé hors
du jardin le gamin aux pieds nus. Pauvre Giacomo...
Où était-il à présent ? Qu'était-il devenu ? Les yeux
baissés, Elizabeth sortit du cimetière, absorbée par
ses souvenirs, par une sorte de méditation mélancolique.

— Elizabeth...

Elle se retourna.

Donna Francesca se tenait de l'autre côté de la
porte du cimetière ; Albert Massingham était là, regardant la jeune fille d'un air confus. Il y avait aussi un
troisième personnage, un homme d'une quarantaine
d'années, en uniforme d'officier de cavalerie.

— Bonjour, tante Francesca. Permettez-moi de
vous présenter mes condoléances.

— Merci.

L'Italienne acceptait les condoléances, mais n'en
offrait pas. Elle s'avança, le visage dur et froid.

— Je ne te cacherai pas que cela me surprend de te
voir là.

— Comment ?... A l'enterrement de mon père ?

— Je m'étonne que tu sois venue si vite, et que tu
aies appris aussi tôt la mort de mon frère.

— J'ai reçu un télégramme.

— Je ne t'en ai pas envoyé.

— Il était signé : « un ami ».

Un regard aigu tenta de percer Elizabeth à jour, cherchant à lire sa pensée.

— Un ami ? Et que disait ce télégramme ?

— Peu de chose. Il parlait seulement de la maladie de mon père.

L'officier s'avança d'un pas, échangeant un regard avec *Donna* Francesca.

— La maladie ? répéta-t-il. C'est étrange !

— Pourquoi étrange ?

— Il est étrange que vous parliez d'une maladie de votre père.

— Ce n'est pas moi, c'est le télégramme.

— Le télégramme se trompait, coupa *Donna* Francesca. Mon frère se portait parfaitement jusqu'à ces deux derniers jours.

— Je ne comprends pas, dit Elizabeth.

— Mon frère a eu un accident,

— Un accident de chasse, précisa l'officier.

Donna Francesca et lui regardaient fixement la jeune fille : elle eut l'impression d'être prise en flagrant délit de mensonge, comme si elle avait tout inventé du télégramme.

Avec un soulagement immense, Elizabeth vit une silhouette familière s'avancer. Elle reconnut aussitôt le vieux docteur Sabastiani.

— Ah ! mais c'est notre petite Anglaise ! s'écria-t-il. Mais oui ! Seigneur ! Que vous avez grandi !

Il s'inclina, puis recula pour la regarder, avec la galanterie permise à un vieil homme qui l'avait connue enfant.

— Vous êtes devenue une charmante jeune fille, Elizabeth ! N'est-elle pas jolie, *Donna* Francesca ?

Donna Francesca ignora méprisamment la question.

— Chère Francesca, excusez-moi ! Arriver tout à coup comme cela... c'est impardonnable, je le reconnais, mais le général Garibaldi voulait me parler. Penser qu'il se soit souvenu de moi après tant d'années !

Il se retourna vers le major et l'Anglais.

— J'ai eu jadis l'honneur de soigner une blessure au bras du général Garibaldi. Je vous raconterai cette campagne, *Signor* Massingham, rappelez-le-moi. Certains pensaient la victoire impossible, mais nous étions auprès de Sirtori quand il a crié : « Où Garibaldi va, nous suivons ! » et nous avons gagné.

CHAPITRE II

Assise dans le landeau du Dr Sabastiani, qui suivait la victoria de *Donna* Francesca, Elizabeth se rendait sans enthousiasme à la villa.

En observant le médecin, Elizabeth pensait que le vieil homme possédait une sorte de secrète réserve de force intellectuelle qu'on pouvait difficilement évaluer... ou négliger. Ne venait-il pas de déclarer fermement que son père était mort accidentellement ?

— Je puis vous affirmer, *Signor* Massingham, et vous aussi, Elizabeth, qu'il s'agissait bien d'un accident. Dans ma vie, j'ai soigné assez de blessures par balles pour en constater une quand je la vois.

— Mais le général était un chasseur expérimenté, un soldat, habitué aux armes à feu. Je ne vois pas comment...

— C'est vrai, *Signor* Massingham, c'est vrai, mais même un chasseur expérimenté ne peut pas connaître tous les creux et toutes les pierres, ou les branches tombées. Il arrive souvent que le chasseur guette le gibier et ne regarde pas ses pieds ! D'accord ?

— D'accord. Mais dans le cas présent...

— Dans le cas présent... dans ce cas tragique, il est

évident que mon vieux camarade a trébuché et est
tombé. Il avait le doigt sur la détente, et... hélas !...

— Docteur, mademoiselle Oakwood trouve peut-
être tout cela par trop bouleversant.

— Non, au contraire, dit Elizabeth. Je désire en
savoir le plus possible. Je vous en prie, continuez, docteur Sabastiani.

— Très bien. Il y a des preuves supplémentaires
de la mort accidentelle : les traces de poudre brûlée,
l'angle de pénétration de la balle, la position du corps.

— Est-ce vous qui avez trouvé le corps ? demanda
la jeune fille.

— Non. C'est Giacomo qui l'a découvert. Vous
vous rappelez Giacomo, je pense ? le fils de la veuve
Leonardi ?

— Oui, je m'en souviens très bien.

Ainsi, Giacomo était toujours vivant, toujours ici.
L'intérêt d'Elizabeth se réveilla.

— Je ne l'ai pas vu aux funérailles...

— Un garçon bizarre, si vous voulez mon avis,
intervint Massingham. Il n'est pas venu aux obsèques,
il ne veut entretenir aucun rapport avec les gens de la
villa...

— Cela n'a rien d'étonnant, dit Elizabeth.

Elle crut voir une étincelle amusée dans les yeux
du médecin.

— Pourtant, continua Albert Massingham, depuis
quelque temps, il était le compagnon de chasse préféré du général.

— C'est parce que personne ne connaît mieux la
montagne que Giacomo Leonardi, expliqua le médecin. Il est très demandé comme guide.

— Parlez-moi de Giacomo, docteur Sabastiani.

Le médecin haussa les épaules.

— Qu'y a-t-il à en dire ?

— Je vous en prie ! Giacomo et moi étions si grands amis !

— Des amours enfantines ? taquina gentiment le vieillard.

— Je vous en prie, parlez-moi de lui.

Le médecin garda le silence un long moment ; le sourire, lentement, fit place à un soupir.

— Un jour, Manfredo, je veux dire le général, a dit de Giacomo Leonardi qu'il était comme un bon cheval solide qui n'a été ni dressé ni apprivoisé. J'ai toujours trouvé très dommage que Manfredo n'ait pas pris le temps de s'occuper de lui.

— Peut-être, suggéra Albert Massingham, le général savait-il que sa sœur n'approuverait pas cela. Elle n'autorise pas Leonardi à s'approcher de la villa à moins d'un kilomètre.

— Il en a toujours été de même, précisa Elizabeth.

Sa pensée revenait à cet été vieux de dix ans, au matin de sa première rencontre avec Giacomo.

— Evidemment, *Donna* Francesca n'a pas protesté quand Giacomo est venu en courant à la villa pour révéler l'accident dont avait été victime le général ! souligna le médecin.

— Giacomo est-il venu vous chercher ? demanda Elizabeth.

— Non. Il est retourné à la hâte auprès du blessé. Le *Signor* Massingham est parti à cheval, ventre à terre, pour le village me chercher et chercher le prêtre. Le général vivait encore quand le père Manca est arrivé. Sans doute valait-il mieux qu'il arrive le premier. Quand je les ai rejoints, le général était mort. Mais à la vue de ses blessures, j'ai compris que je

n'aurais été d'aucun secours pour mon vieux camarade...

Pendant un moment, on n'entendit plus que les
sabots du cheval sur la route et les roues ferrées écra-
sant le sol pierreux. On ne voyait plus le village, dissimulé derrière les arbres. En avant, au loin, apparais-
saient les premières pentes du *Monte* Neve.

— Nous devrions arriver à la villa dans quelques
minutes.

— Après le prochain tournant, si j'ai bonne
mémoire.

Le prochain tournant découvrirait aussi la légère
pente où se dressait le chalet de Giacomo Leonardi,
pensa Elizabeth. Ce serait bon de le revoir.

— J'aimerais marcher un peu, dit-elle soudain.

La voiture venait d'amorcer le tournant, et elle
apercevait le petit domaine des Leonardi à travers des
arbres lointains.

— Non, ne vous dérangez pas, monsieur Massing-
gham.

— Oh ! mais, je vous assure...

Il faisait signe au cocher de s'arrêter.

— *Signor* Massingham, dit le médecin, je crois
qu'Elizabeth aimerait être seule un peu de temps. Et
moi, je vous raconterai la bataille de Calatafami pour
votre livre.

Elizabeth jeta un regard reconnaissant au médecin.

— Voulez-vous présenter mes excuses à *Donna*
Francesca ? demanda-t-elle. Je ne resterai pas trop
longtemps.

Elizabeth attendit que la voiture disparût de sa vue
pour s'engager dans un sentier de chèvres à travers
les broussailles brunes et les oliviers sauvages.

Le chemin était plus dur qu'elle ne s'y attendait : elle dut grimper dans les rochers, puis descendre une pente raide. Le soleil était au zénith et la chaleur était presque visible, palpable.

Avec soulagement, elle émergea enfin du taillis sur la clairière où se dressait le chalet. L'endroit avait peu changé en dix ans. C'était un bâtiment de pierre et de troncs d'arbres adossé à un demi-cercle de pins, avec un jardin potager bien cultivé, des arbres fruitiers, et un ruisseau que la saison sèche avait réduit à un filet d'eau.

— Giacomo ? appela-t-elle.

L'écho de sa voix s'éteignit quelque part dans la montagne.

La porte s'ouvrit sous la pression de sa main.

Le chalet se composait d'une seule pièce, longue et rectangulaire, avec une échelle de bois qui montait, à côté de la massive cheminée de briques, vers ce qui devait être un grenier. La salle était meublée d'une table, de trois chaises, d'un banc, de quelques coffres. Des ustensiles de cuisine et un équipement de chasseur s'y ajoutaient. Elizabeth entra. Il faisait beaucoup plus frais à l'intérieur, plus sombre après le dur éclat du soleil, et regardant autour d'elle, elle comprit instinctivement que Giacomo vivait seul, que sa mère était morte. Propre et en ordre, l'intérieur du chalet était dépourvu de tout ornement, de tous ces signes qui indiquent la présence d'une femme à un observateur attentif. C'était la maison d'un homme, pratique, ne contenant que des objets essentiels, à l'image de son occupant : le fusil au-dessus de la cheminée, la corde de montagne roulée pendue à un clou au mur lessivé, une cartouchière vide, un sac à dos également suspendu, une hache de bûcheron, un vilain assorti-

ment de pièges et de collets, une pipe et un pot à tabac
à côté d'une cruche d'eau au centre de la table.

Le trajet avait donné chaud et soif à la jeune fille.
Elle s'approcha de la table et versa de l'eau de la cruche dans une petite timbale, puis elle s'assit, les coudes sur la table, la timbale entre les mains, et but lentement, son regard parcourant de nouveau la salle.

Une ombre noire, venant de la porte ouverte,
tomba sur la table et fit sursauter la jeune fille. Elle
leva vivement les yeux. Giacomo !

Elle le reconnut immédiatement et dans un flot
d'impressions mêlées de peur, de soulagement, de
souvenirs, de joie, à peine remarqua-t-elle que le
canon du fusil qui la visait à l'instant, s'abaissait.

— Elizabetta ?
— Oui.

Soudain, elle courut à lui, riant un peu, désirant
qu'il la prît dans ses bras, voulant qu'il la serrât contre lui, mais Giacomo se contenta de prendre sa main
dans les siennes.

— Oh ! Giacomo ! Cela a été si long ! Laisse-moi te
regarder !

Les années avaient bien travaillé sur le visage du
gamin aux yeux noirs, s'appliquant à y tracer de fines
rides autour des yeux, des rides de soleil.

Il était tellement plus grand qu'elle. Le sommet de
sa tête atteignait presque le haut de la porte et les larges, puissantes épaules étaient au même niveau que
son front. La tête rejetée en arrière, toujours sou-
riante, elle étudiait son visage.

— N'es-tu pas surpris de me voir ?

Il ne disait rien, mais il la regardait de ses yeux
sombres et graves, singulièrement doux dans son
visage aux traits durs.

— Tu n'es pas étonné ?

— Dans la montagne, un homme ne s'étonne plus de rien.

— Voilà une sotte réponse ! Et pas très galante ! Avoue que tu es surpris ! Allons... je veux que ma vue te rende muet et te donne les larmes aux yeux... et te serre la gorge... Je t'en prie !

Il eut un sourire soudain : en un éclair, le Giacomo d'autrefois reparut. Puis disparut.

— Je suis heureux, Elizabetta, très heureux de te revoir. Mais pas vraiment surpris.

— Pourquoi ?

— Parce que j'ai toujours su que je te reverrais, que tu reviendrais un jour.

Il s'était exprimé simplement, naturellement. Il posa son fusil et son autre main vint prendre celles de la jeune fille. Elizabeth se dressa sur la pointe des pieds et l'embrassa sur la joue.

Lentement, il la repoussa.

— Qu'y a-t-il, Giacomo ?

Ses yeux la fixaient, sombres et indéchiffrables. Son regard parut effleurer ses lèvres, son cou, puis l'étoffe de son corsage tendu sur sa poitrine. Brusquement il se détourna, se débarrassa du lourd fardeau qui pendait à son épaule et le posa sur le sol.

— Veux-tu du vin ? Quelque chose à manger ?

— Tu n'as répondu à aucune de mes lettres.

Elle ne lui reprochait rien. Elle ne lui avait rien reproché au cours de ces années. Elle ne comprenait pas et elle était déçue seulement. Comme maintenant.

— Un verre de vin frais ?

Il prit une bouteille qui rafraîchissait dans un seau d'eau sous la table.

— Maraschino, du meilleur. Doux comme des larmes d'ange.

Il sourit soudain et de nouveau se tourna vers elle.

— Avec joie. Mais tu n'as pas répondu à ma question, dit Elizabeth.

— Tu as oublié que je ne sais ni lire ni écrire.

— Et ta mère ?

— Jusqu'au jour de sa mort, elle n'a pas été plus savante que moi.

— Quelqu'un d'autre, alors. Le docteur Sabastiani, par exemple. Il aurait...

— Tes lettres n'étaient pas pour *quelqu'un d'autre*, elles étaient pour moi. A moi.

— Oui, mais si tu ne pouvais pas les lire ?

— Elles étaient à moi tout de même. A moi seul. Personne ne devait les voir, répliqua-t-il d'un air obstiné.

— Merci, dit-elle, en prenant le vin.

Elle fit tourner le verre doucement entre ses doigts tout en continuant à l'observer. Il but dans la timbale de fer blanc.

— A ta santé !

— A la tienne, Giacomo !

— Tu es à la villa avec eux ?

— Oui.

— Je croyais que tu n'aimais pas ta tante ?

— Je ne l'aime pas particulièrement... J'avais même décidé de prendre une chambre à l'hôtel, précisa Elizabeth en riant.

— Combien de temps resteras-tu à la villa ? demanda-t-il.

— Je n'en sais rien. Un jour ou deux, je pense.

— Jusqu'à la lecture du testament ?

— Le testament... ? Non. Je... Je n'avais pas pensé à ça.

— Tous les autres y pensent. Pourquoi seraient-ils venus si nombreux à l'enterrement ce matin, à ton avis ?

— C'était un homme célèbre, souviens-t'en. Un héros. Un général.

— Un général très riche, Elizabetta. Riche. C'est pour cela qu'ils sont venus comme des loups affamés pour ronger les os.

— Et tu crois que c'est cela qui m'a attirée ici, moi ?

Elle avait répondu d'un ton bref et sec.

— Bien sûr que non. Tu ne leur ressembles pas. Tu ne leur as jamais ressemblé. C'est pourquoi tu ne devrais pas être avec eux, à la villa.

Il n'accusait pas. Il donnait plutôt un conseil.

— Est-ce pour cela que tu n'étais pas aux funérailles ?

— En partie. Je n'aime pas le cirque.

— Le cirque ?

— Ta tante exhibe le deuil comme un costume de diva.

— Tu as dit « en partie ».

— J'ai exprimé mon respect à ton père à ma façon.

— Le docteur Sabastiani m'a dit que tu étais l'habituel compagnon de chasse de mon père.

Giacomo vida d'un trait sa timbale et commença à la remplir de nouveau. Sans quitter des yeux l'horizon montagneux, il répondit :

— Je portais surtout son fusil. Je lui servais de rabatteur. J'étais son porteur, si tu veux.

— Un porteur accompagne les voyageurs, pas les chasseurs !

— Un porteur est un inférieur. Un domestique.
Vrai ?

— Oui, je pense...

— Eh bien, j'étais son domestique.

— On croirait que tu lui en veux ?

Dans la barbe naissante, la bouche autrefois sensible et généreuse était crispée en un sourire sans joie.

— Tu n'as jamais vu ton père, n'est-ce pas, Elizabetta ?

— Non. Cet été que j'ai passé à la villa... quand nous sommes devenus amis, Giacomo... Cet été-là, mon père était à l'armée. Je me rappelle... j'étais tellement déçue... Je me réjouissais de le voir pour la première fois.

— Oui, je me souviens de ta solitude, de ta déception...

Un instant, il redevenait le Giacomo de naguère, gentil, revenant en pensée aux jours d'autrefois, se rappelant son désir de protéger, de distraire, de donner son amitié à la petite fille esseulée, mais cela ne dura que le temps d'un éclair : la sombre tristesse reparut dans ses yeux, et la sévérité froide, sur sa bouche.

— Je me rappelle aussi que ta tante t'a renvoyée en Angleterre, juste avant le retour du général.

— Oh ! je pense que s'il avait *réellement* désiré me voir, s'il m'avait voulue ici après la mort de maman... s'il avait eu une ombre d'affection... Quel homme était-il, Giacomo ? Tu l'as connu. Parle-moi de lui.

Il leva les épaules et garda le silence, tourné de nouveau vers la montagne.

— Il n'y a pas grand-chose à dire..., commença-t-il.

Il semblait mettre de l'ordre dans ses pensées, pour trouver ses mots.

— Je ne le voyais que pour la chasse. Un jour, il a
amené le roi ici. Le savais-tu ?

Elizabeth secoua la tête.

— Oui. Le roi aime chasser les chèvres sauvages.
Leur chair est particulièrement savoureuse, mais
elles sont difficiles à approcher... Il y en a quelques-
unès là-haut, derrière le *Monte* Neve. Alors, le général
a invité le roi pendant une saison, il y a environ trois
ans. A ce moment-là, il est venu beaucoup de gens
importants. Mais la plupart du temps, le général et
moi allions seuls dans les collines. Je ne le connaissais
qu'en tant que chasseur... pas comme officier de
l'armée... ou comme élégant homme du monde de
Rome.

— Peut-être, dans la montagne, l'as-tu connu
mieux que personne.

— Peut-être.

— Dis-moi. Comment était-il ?

Il leva les épaules en un geste éloquent.

— Il ressemblait à *Donna* Francesca, je suppose.

— Oh !... Sûrement pas !

— Par moments, si. Particulièrement quand le roi
est venu, ou quand des gens importants séjournaient à
la villa.

Giacomo se leva et alla à la porte, son regard, de
nouveau, cherchant la montagne.

— Mais là-haut, quand il n'y avait que nous deux,
et quelques chiens, personne d'autre... alors, il pouvait être très attachant.

Elizabeth le rejoignit sur le seuil.

— Une fois, là-bas, il a été pris par la tempête. Une
sale tempête. Ton père était allé d'un côté de la crête
et moi de l'autre : nous devions nous retrouver à un
certain endroit avant la nuit. Et puis la neige est venue

tout à coup, imprévue, comme cela se produit parfois
sur la face nord du *Monte* Neve.

A la tombée de la nuit, il n'était toujours pas au
rendez-vous. Alors je suis allé à sa recherche.

— Que s'était-il passé ?

— Il était tombé dans une crevasse. Il avait la
jambe cassée, une fracture ouverte, avec une terrible
plaie à la cuisse.

Elizabeth fit une grimace.

— Il devait souffrir beaucoup !

— Oui. Quand je l'ai trouvé, il était à moitié fou de
douleur. De douleur... de froid et de peur.

— De peur ? Je croyais qu'il avait la réputation
d'un soldat très brave ?

— Sur un champ de bataille peut-être. Ce n'est pas
trop difficile avec les autres officiers qui vous regar-
dent, mais là-haut...

D'un geste du menton, Giacomo désignait le lointain sommet.

— Là-haut, c'est différent. Il était terrifié.

— Qu'as-tu fait ?

— Eh bien, j'ai nettoyé la plaie, avec de l'herbe, me
souvenant des conseils d'un vieux chasseur. Et j'ai
arrêté le sang avec un mélange de poudre et de fin
tabac. Ensuite, j'ai mis des attelles à sa jambe et je l'ai
emporté à l'abri dans une petite grotte...

Elizabeth n'écoutait plus très attentivement. Les
détails n'importaient plus. Ce qui comptait, c'était de
savoir que Giacomo avait sauvé un jour la vie de son
père, et cela augmentait encore son affection pour lui.

Giacomo avait terminé son récit.

— Je suis si contente que tu aies été là pour lui
porter secours, murmura-t-elle. Il te devait la vie...

— Il ne me devait rien du tout. J'aurais fait la même chose pour un de mes chiens.

Elle savait qu'il disait vrai. Pourtant, elle avait l'impression d'avoir essuyé une sorte de rebuffade.

— En tout cas, je suis sûre que mon père a apprécié ton assistance, assura-t-elle avec quelque raideur. Et je ne doute pas qu'il t'ait convenablement récompensé.

Giacomo eut un rire bref, presque amer.

— Cette nuit-là, dans la montagne, où ton père perdait presque la raison à force de souffrance et de peur, il a beaucoup prié. Et il m'a fait deux promesses : s'il était sauvé, il ferait ériger une statue de la Vierge à l'endroit de son accident, en action de grâce, ou autre chose... peut-être pour avertir les autres montagnards. Il a tenu cette promesse, et c'est le père Manca qui a béni la statue.

Elizabeth écoutait attentivement, mais Giacomo se tut.

— Quelle était donc la seconde promesse ?

— C'est sans importance. C'était juste entre lui et moi.

Elle devinait qu'il regrettait d'avoir mentionné le fait, mais elle insista.

— Il avait promis de me donner quelque chose qui m'appartenait déjà de droit, avoua-t-il enfin.

— Qu'est-ce que c'était, Giacomo ?

— Cela n'a plus d'intérêt maintenant.

Il éluda la question d'un geste. Sa voix, sèche d'abord, s'adoucit sur les derniers mots.

— Qui sait ? Il aurait peut-être tenu cette promesse sans *Donna* Francesca. J'aurais dû me douter qu'elle ne le lui permettrait pas. Jamais. Et maintenant... cela n'a plus d'importance. Il est mort.

— Oui, mort, répéta Elizabeth.

La référence à *Donna* Francesca l'avait mise mal à l'aise. Il se faisait tard. L'ombre s'épaississait sous les arbres.

— Je dois rentrer à la villa, dit-elle. Veux-tu me reconduire ?

— Naturellement.

Il la dévisagea d'un air grave.

— Tu es très belle, Elizabetta.

Il n'avait pas l'habitude de faire des compliments. Il baissa les yeux, se détourna et reprit son fusil.

— Que fais-tu en Angleterre ?

— J'enseigne dans une école. Faut-il que tu emportes cela ?

D'un geste du menton, Elizabeth indiquait le fusil.

— Dans ces montagnes, toujours.

— Professeur, répéta-t-il. Tu enseignes aux enfants la lecture et l'écriture ?

— Et aussi l'arithmétique, le piano, la couture.

— Comment devient-on professeur dans une école ?

— Eh bien, dans mon cas, tout à fait par hasard. J'étais pensionnaire et un jour, je suis passée de l'autre côté de la barrière. Parce que je n'avais aucun autre projet, je pense.

— Et tu vas y retourner ?

Elle regarda Giacomo Leonardi, et derrière lui la montagne. C'était un univers très éloigné de tout ce qu'elle connaissait, et pourtant elle y voyait la liberté.

— Je ne regagnerai peut-être jamais l'Angleterre, murmura-t-elle, indécise.

— Où vivrais-tu ? A la villa avec eux ?

— Non.

— Où cela ?

— Peut-être pourrais-je trouver des leçons d'anglais, de piano à donner ici... ou peut-être à Rome.

— Oui, ce serait mieux à Rome que dans ces montagnes.

Etait-il vraiment indifférent à ce point ? Il serra davantage sur son épaule la courroie de son fusil, se retourna et siffla. Aussitôt, deux chiens de chasse accoururent au galop.

— Ils ne te feront pas de mal.

— Oh ! ils ont l'air gentil. Et intelligents ! De quelle race sont-ils ?

— Ce sont des bâtards, mais ils valent tous les chiens de race !

Les chiens tournèrent autour d'Elizabeth qui se mettait en marche à côté de Giacomo, levant vers elle leur museau noir en reniflant avec curiosité.

— Je crois qu'ils m'aiment bien, dit-elle.

Giacomo sourit. Il était content, et fier de ses animaux qui trottaient sur ses talons ou allaient flairer les broussailles en quête d'une piste.

Lorsqu'ils arrivèrent au mur d'enceinte de la villa, le soleil commençait à baisser derrière les montagnes.

— Quand te reverrai-je ? demanda-t-elle, rompant le silence qui se prolongeait.

— Ta tante m'interdit d'approcher de la villa.

— Je ne parlais pas de la villa. Peut-être pourrais-je venir chez toi demain matin ?

— Non, dit-il en secouant la tête.

— Ne désires-tu pas me revoir ?

Avec une sorte de découragement têtu, il détourna les yeux, se forçant à fixer un objectif lointain.

Elle regardait attentivement son visage, anxieuse, tout à coup, voulant savoir s'il avait encore pour elle l'affection d'autrefois.

Elizabeth sentit qu'une terrible lutte se livrait en lui, comme s'il essayait de s'affranchir d'une colère secrète, d'une peur, ou d'une profonde souffrance.

— Qu'y a-t-il, Giacomo ?

Elle s'écarta du mur, et la brise vint doucement plaquer sa robe contre elle, dessinant les contours de son corps.

Giacomo la regardait... puis ses yeux se fermèrent brusquement.

— Elizabetta...

Ses bras encerclèrent la taille de la jeune fille, moulant soudain son corps contre le sien. Avec joie, elle accueillit son premier baiser, se blottissant contre lui en une étreinte qui ne connaissait pas la crainte. Il posa ses lèvres sur ses yeux, ses joues, son cou, et quand elles revinrent à ses lèvres, elle comprit qu'il tentait d'assouvir sa colère cachée et sa souffrance, car sa bouche prenait la sienne avec une sorte d'ivresse brutale.

Elle avait envie de pleurer sur eux, de verser d'extraordinaires larmes de triomphe.

— J'avais tellement peur que... tout n'ait changé... entre nous, Giacomo !

L'étreinte de ses bras se relâcha.

— Tout a changé..., murmura-t-il d'une voix brisée.

— Non, Giacomo ! Pas pour nous. Nous pouvons nous aimer.

— Jamais !

Il l'avait repoussée presque avec colère, et elle voyait les larmes briller dans ses yeux.

— Giacomo...

— Retourne en Angleterre. Pour notre bien à tous les deux.

— Non.

— Je t'en prie !

Elle secoua la tête, désorientée et désespérée.

Il recula, s'éloigna davantage. Les larmes luisaient encore dans ses yeux mais il recouvrait son sang-froid.

— Crois-moi, Elizabetta. Retourne dans ton pays. Cela vaudra mieux pour toi comme pour moi.

— Mais pourquoi ?

Il s'éloigna à grandes enjambées, sans répondre.

Songeusement, Elizabeth, au bord de la clairière, le regardait partir. Elle avait si froid tout à coup ! Et comment n'avait-elle pas compris plus tôt qu'elle l'aimait ?

Enfin, lentement, elle se dirigea vers la villa qui se dressait noblement au flanc d'une colline abrupte veillant sur les rangées de citronniers en espaliers et les berceaux de roses.

CHAPITRE III

— Bonsoir *Signorina*.

Le major Menotti sortit de l'ombre.

— Je crois que votre tante commençait à s'inquiéter un peu...

Curieuse plutôt, et même soupçonneuse, pensa Elizabeth, mais sûrement pas inquiète.

— Pour la tranquilliser, j'ai offert d'aller à votre rencontre.

— Merci. Ce n'était vraiment pas la peine.

— Vraiment ? s'étonna-t-il, sarcastique.

L'homme, lentement, retira le cigare de sa bouche.

— Non, je ne pense pas en effet. Vous aviez la protection du jeune Leonardi et de ses chiens, n'est-ce pas ? Dites-moi, *Signorina*, que pensez-vous de notre sauvage montagnard ?

Elizabeth ne répondit pas. Le major Menotti vint marcher à côté d'elle.

— Votre père, un jour, a menacé de cravacher le jeune Leonardi. Saviez-vous cela ?

— Comment le pourrais-je ? Je ne suis pas venue ici depuis près de dix ans.

Elle marchait lentement mais avec raideur, regardant droit devant elle.

— C'est vrai. Donc vous ignorez également que j'étais l'aide de camp de votre père. J'étais aussi son ami et son confident, je suis fier de le dire. Sa mort m'affecte profondément. Permettez-moi de vous présenter mes condoléances.

— Pourquoi mon père a-t-il menacé Giacomo ?

Elizabeth n'avait pu s'empêcher de poser la question.

— Giacomo ? Ah ! vous parlez du jeune Leonardi ?

Son sourire diminua presque imperceptiblement, et il haussa les épaules.

— Je pense qu'il avait ses raisons, mais il ne me les a jamais dites bien que nous ayons été très amis.

— Voulez-vous me parler de lui ?

— Il adorait ce jardin. Entre ses campagnes, il revenait toujours ici. Il consacrait beaucoup de temps et d'argent à l'entretien et la décoration de la propriété. Que pensez-vous des statues, Elizabetta ? Pardonnez-moi, mais tout comme le docteur Sabastiani, je crois être autorisé à appeler par son prénom la fille de mon vieil ami... A propos, qu'en est-il de Giacomo Leonardi ?

— Que voulez-vous dire ?

— Pardonnez-moi, mais je vous ai vue avec lui il y a un instant. Il m'a semblé que vous acceptiez... de nouveau, je ne sais trop comment exprimer cela avec délicatesse... il m'a semblé que vous acceptiez volontiers ses attentions, non ?

— C'est exact, répondit Elizabeth d'une voix claire.

Elle-même s'étonna de cet aveu plein de défi.

— Ainsi, vous le reconnaissez ?

— Pourquoi pas ? Giacomo est mon ami.

— C'était plus que de l'amitié...

— Quoi qu'il en soit, cela ne vous concerne pas. Et maintenant, si vous voulez bien m'excuser...

— Au contraire, cela me regarde, justement ! Vous faites une sottise en encourageant un paysan grossier qui ne sait pas vous estimer à votre valeur. Je l'ai vu vous repousser, Elizabetta. S'il s'agissait de moi...

Il la dépassa de quelques pas, puis se retourna brusquement vers elle. Ils faillirent se cogner.

— *Signorina* Elizabetta...

— Laissez-moi passer.

Il ne bougea pas.

— Ah ! Elizabetta, il y a tant de choses que je pourrais vous enseigner ! Etre si belle et être encore une enfant ! J'ai beaucoup d'expérience...

— Votre expérience comprend-elle l'échec ?

— Ceci en serait-il un ?

— Totalement !

La jeune fille le repoussa et passa.

— J'aime les femmes rétives. Vos yeux sont magnifiques quand vous êtes en colère !

Le sourire confiant qu'il arborait exaspérait la jeune fille. D'un pas rageur, elle se hâta vers la villa.

En franchissant la porte ouverte, elle vit sa silhouette mince et élégante se refléter dans les somptueux miroirs qui habillaient les murs du vestibule.

Elle avait vingt-deux ans !

Etre si belle et être encore une enfant !...

Moitié compliment, moitié sarcasme, la phrase du major la poursuivait. Elizabeth ne s'était jamais trouvée belle, mais elle avait dû admettre que quelque chose, en elle, attirait les hommes, quelque chose qui venait de ses yeux gris-vert, des yeux rieurs à un moment, graves et tristes à un autre.

La voix sèche de sa cousine Carlotta interrompit ses réflexions.

— Ah ! Cousine Elizabetta ! Sois la bienvenue !

Carlotta tendit sa joue, s'efforçant de prendre une expression adaptée à la circonstance. Son visage, d'une beauté sévère et sombre, était la réplique de celui de sa mère, vingt ans plus tôt.

— Tu es très, très en retard ! Maman attend, et tu sais comme elle est pointilleuse ! Viens, je vais te montrer ta chambre.

Elle prit le bras d'Elizabeth et l'entraîna dans l'escalier, parlant très vite, du temps, du service funèbre, de la bonté d'Oncle Manfredo, un homme si plein de douceur...

A la porte de la chambre, elle répéta sa recommandation.

— Je t'en prie, ne tarde pas, Elizabetta. Et je veux te faire connaître mon fiancé, le major Menotti : il est magnifique !

— La pauvreté matérielle des paysans, docteur Sabastiani, est la moindre de leurs infortunes. A mon avis, leur véritable pauvreté consiste à ignorer les véritables divisions de la société, déclarait dédaigneusement *Donna* Francesca.

La salle à manger était telle que s'en souvenait Elizabeth ; confortable et accueillante avec ses beaux meubles marquetés, ses chaises tendues de velours, ses miroirs dorés, sa cheminée de marbre sombre, et les deux lustres qui faisaient scintiller l'argenterie et les carafes de cristal taillé.

— Et de plus, cher docteur, surenchérit Raffaele, on trompe les paysans en leur faisant entrevoir, des améliorations sociales. N'est-ce pas, maman ?

Donna Francesca ne fit pas l'effort de répondre à son fils.

— Et il existe une tendance grandissante et dangereuse chez certains paysans à se montrer peu respectueux envers leurs supérieurs, ajouta-t-il.

Raffaele regarda les convives autour de la table, puis de nouveau sa mère qui garda le silence. Dépité, il s'affaissa sur sa chaise, le ventre en avant, boudant devant l'indifférence générale.

Il était grand et gros, si étroitement corseté sous son gilet et son smoking que sa graisse semblait ressortir au niveau du cou et des poignets.

Donna Francesca avait toujours ardemment désiré que son fils unique devînt illustre comme son oncle récemment décédé. Mais le fils désirait avant tout se montrer aussi indolent et épicurien que feu son père. Cette divergence de point de vue perturbait Raffaele. On lui en demandait trop, et il essayait de s'affranchir, en mangeant, d'un trop pesant fardeau.

Aujourd'hui, il semblait que les ambitions de *Donna* Francesca se fussent concentrées sur sa fille et ses fiançailles avec le « magnifique » major Menotti. Si la mère ne pouvait avoir un fils illustre, peut-être aurait-elle un illustre gendre ?...

Furtivement, Elizabeth continua à observer les convives. Le Dr Sabastiani parlait à peine, se réservant le plaisir de juger les reparties des convives. Albert Massingham marmonnait des banalités polies à Carlotta et à sa mère, mais Carlotta ne le regardait guère : elle n'avait d'yeux que pour son « magnifique » fiancé, cherchant par tous les moyens d'attirer son attention. Mais c'était peine perdue : le major ne lui accordait pas un regard ; il tenait délicatement entre le pouce et l'index le pied de son verre, respirant son contenu, scrutant sa transparence dorée, et jetant par instants un coup d'œil dans la direction d'Elizabeth. Etant donné les circonstances, sa désinvolture frisait l'impertinence.

La jeune fille fut heureuse quand l'officier tourna son attention vers le Dr Sabastiani.

— Ne pensez-vous pas, docteur, que l'indiscipline qui règne chez les paysans, et à laquelle notre gracieuse hôtesse faisait allusion, peut être imputable aux républicains, aux révolutionnaires, aux partisans de Mazzini auxquels ne plaît pas la réunification de l'Italie sous l'autorité d'une monarchie ?

Le médecin hocha la tête, dubitatif.

— Nous autres, dans la jeune Italie, dit-il, nous avons donné une devise aux paysans : « La liberté pour l'Italie et une miche de pain pour tous. »

— Ainsi, vous êtes toujours républicain ?

— Républicain, royaliste, libéral, conservateur... En réalité, il n'y a que deux partis, major. L'un comprend les honnêtes gens et l'autre les coquins. Je me suis toujours efforcé d'appartenir au premier, quelle que soit son étiquette.

— N'avez-vous pas été emprisonné par les Bourbon à cause de vos activités révolutionnaires ? Puis incarcéré dans les prisons papales ?

— Comme de nombreux patriotes. Les autorités, dans la majeure partie de ce pays, ont pris l'habitude d'arrêter les patriotes chaque fois qu'une impulsion libérale prenait forme dans un coin de notre Italie bien-aimée.

— Et les Autrichiens ? Vous avez été prisonnier de guerre à Brescia, non ? Sous le maréchal Haynau ?

Le médecin hocha la tête.

— Il y a près de trente ans, oui. On avait baptisé Haynau *la hyène de Brescia*... bien que je ne comprenne pas pourquoi une innocente créature à quatre pattes ait été déshonorée par cette comparaison.

— Enfin, quelques-uns de nos gars, tout au moins, ont donné au vieux maréchal une salutaire leçon, n'est-ce pas ?

Le major semblait décidé à faire sortir le Dr Sabastiani de sa réserve.

— Vous avez été torturé en prison, n'est-ce pas ? Racontez-nous cela, cher docteur... je vous en prie ! J'adore les récits d'aventures ! minauda Carlotta. Je vous en prie !

— Silence ! ordonna *Donna* Francesca. Un tel sujet de conversation n'est pas convenable pendant le dîner.

— Oh ! maman s'il te plaît, laisse notre cher médecin nous conter ses aventures ! Docteur, quel a été votre pire moment ?

— Mon pire moment ? Avec la permission de *Donna* Francesca, je vais vous le dire.

De la tête, il salua *Donna* Francesca, et comme elle ne proférait aucune objection, il continua :

— C'était à la prison de San Stefano qui se trouvait sur une île rocheuse à trente milles de la terre. J'avais été condamné à y passer tout le reste de ma vie, mais...

— Vous vous êtes enfui et vous avez nagé jusqu'à la côte ?

— Trente milles, Carlotta ? objecta le médecin en souriant. Non, je n'ai rien fait d'aussi audacieux. J'ai dû ma délivrance avant tout aux efforts de l'homme d'état anglais, William Gladstone, qui a attiré l'attention du monde sur l'état des prisons napolitaines. A cause de lui, les condamnés de l'île sont devenus une épine pour le roi Ferdinand qui n'a plus songé qu'à se débarrasser de nous. En définitive il nous a exilés en Amérique.

— Votre pire moment, docteur ? insista Carlotta. Vous n'en avez pas encore parlé !

— Pendant mon emprisonnement, il a été question que le roi nous accorde son pardon. Nous avons cru qu'il voulait nous déshonorer par une indulgence qui associerait notre nom à son méprisable gouvernement. De sorte que pendant un moment, ce matin-là, juste pendant un petit moment, j'ai cru que je serais gracié et que tout le monde me prendrait pour un renégat. Ce fut pour moi le pire moment. Par bonheur, le roi est revenu sur sa décision, et après ces instants terribles, la prison nous a paru une épreuve moins terrible.

— Bravo ! cria Albert Massingham.

Il leva son verre en direction du médecin avec une sincère admiration.

Carlotta regardait le vieillard avec stupeur, puis sa déception éclata.

— Comment ?... C'est *tout* ?

— Oui.

Comme son frère, Carlotta fit une moue boudeuse.

Le major Menotti se permit de conclure d'une voix traînante :

— Avec de tels antécédents, docteur, je crois que, sans vous offenser, on peut vous prendre pour un dangereux révolutionnaire !

— Ah ! major ! Vous êtes trop bon. Je n'avais ni les vertus ni les défauts d'un véritable révolutionnaire. J'étais simplement un patriote.

— Pourtant, vous avez été accusé de trahison !

— En ce temps-là, ma trahison n'était rien de plus que l'amour de mon pays et de la simple justice.

— Et maintenant ?

La voix du major était d'une douceur menaçante.

— Les pensées et les rêves se modifient aussi avec les années. Maintenant, je ne demande plus que le repos de mon cœur dans un endroit libéré des anciens conflits... ou même, peut-être seulement quelques heures de paix.

La voix du médecin s'éteignit. Derrière ses lunettes, ses yeux se fermaient à demi. Un instant, il eut l'air d'un vaincu, cherchant désespérément à protéger un dernier objectif secret.

Elizabeth ne comprenait pas pourquoi elle était si étrangement émue par les paroles du médecin. Elle sentait en lui un allié. Mais contre quel danger ? Elle se sentait fatiguée par ces deux jours entiers de voyage et par ses efforts pour comprendre tout ce qui se passait depuis sa descente du train à Piazza Domenica le matin. Tant de questions se posaient, avec si peu de réponses : un télégramme annonçant que son père était malade, et la découverte qu'il était mort accidentellement en pleine santé. Qui avait envoyé le télégramme ? Et pourquoi ?

Et Giacomo...

Giacomo. Petite fille, Elizabeth se croyait amoureuse de lui. Aujourd'hui, adulte, elle pensait que ses sentiments envers lui n'avaient pas changé, ou bien s'étaient seulement intensifiés. Il l'avait embrassée avec passion, et elle avait répondu à cette passion, écartant toute prudence, toute réticence. Elle avait éprouvé de la compassion pour Giacomo, et quelque chose de bien plus profond encore, une affection qui ressemblait fort à ce qu'elle avait toujours imaginé de l'amour.

Mais Giacomo avait changé. Et cette modification qui s'était opérée en lui, Elizabeth le sentait, tenait aux relations qui avaient existé entre Giacomo et son père. C'était étrange : même mort, la personnalité du général semblait exercer une mystérieuse influence sur leurs vies à tous.

— Qu'y a-t-il, Elizabetta ? Tu es bien silencieuse ! dit Carlotta. Parle-nous de Londres. Comment s'habillent les femmes, cette saison ?

A tout prix, Carlotta, même si elle boudait encore un peu, voulait qu'on la divertît.

— Je n'habite pas Londres. Le pensionnat où je professe est situé dans le Devon.

— Tu dois t'y ennuyer horriblement !

— Je ne dirais pas cela, déclara Albert Massingham. J'ai passé un week-end dans ce pays. On y chasse le renard et il y a beaucoup de gibier. Du faisan surtout.

Soudain, Elizabeth en eut assez de la mesquinerie de son cousin, de la bouderie de Carlotta, des banalités énoncées par Albert Massingham, et du regard méfiant de sa tante. Elle allait répliquer sèchement quand la porte de la salle à manger s'ouvrit dans un terrible fracas...

Une femme de chambre parut, les yeux agrandis d'effroi. Derrière elle se dressait un homme dont l'irruption réduisit au silence et à l'immobilité tous les occupants de la pièce. Il poussait la femme de chambre devant lui, sous la menace d'un pistolet.

— Bonsoir, *Donna* Francesca... non : restez où vous êtes. Vous tous. Restez assis.

Il libéra la femme de chambre et lui ordonna de

rejoindre les autres. Avec un sanglot, elle courut vers *Donna* Francesca et se blottit derrière sa chaise. L'étranger, voyant tout le groupe à portée de son arme, avança de quelques pas.

C'était un véritable géant, vêtu d'une ample pèlerine usée et tachée de boue ; une chemise rouge crasseuse moulait son torse massif. Une ceinture garnie de cartouches entourait sa taille épaisse et un poignard dans son fourreau était fixé à l'une de ses bottes avachies. Son visage semblait fait du même cuir craquelé, poussiéreux, brun foncé que ses bottes, ou tout au moins ce qu'on pouvait en voir sous le chapeau à large bord et au-dessus de la barbe. Cette barbe, grise, graisseuse et tachée de tabac poussait curieusement de travers à cause d'une profonde cicatrice qui entaillait tout le côté gauche du visage, du coin de l'œil au menton.

Seul le Dr Sabastiani soutint sans broncher le regard de l'intrus.

— Voilà une surprise, Ferrucio, dit-il, d'une voix tranquille, d'un air aussi détendu que s'il avait salué un invité sympathique. Ou un vieil ami.

D'un geste, il désigna le pistolet.

— Range cela, Ferrucio. Tu n'en as pas besoin ici.

— Pas pour toi, camarade... mais je n'ai aucune confiance dans ceux-là, dit-il méprisamment en allant se placer derrière le médecin.

— Comment vas-tu, vieil ami ?

— Pas trop mal, dit le médecin en souriant. Cela fait longtemps Ferrucio, que nous nous sommes vus.

— Trop longtemps, Pietro, trop longtemps. Ah ! c'était le bon temps autrefois. Tu étais le héros de notre jeunesse. Avec ton petit sac noir rempli de ban-

dages, tes scalpels, et tes aiguilles, et tes pommades...
tu nous raccommodais, Pietro...

— Le pistolet, Ferrucio... je t'en prie : tiens-le bien.

— N'aie crainte. Pardonnez-moi, *Donna* Francesca, je suis en retard pour le dîner...

L'homme tendit une main et prit de la viande dans
le plat de service. Il la mit dans sa bouche et la dévora,
goulûment comme s'il était affamé, tout en parlant.

— Et je regrette de ne pas être arrivé à temps pour
les funérailles. Vingt-quatre heures de marche dans la
montagne sans repos et sans nourriture, juste comme
autrefois, Pietro. Vingt-quatre heures... et arriver trop
tard pour l'enterrement de mon vieux commandant...
ah ! quelle tristesse ! Je voulais être le premier à cra-
cher sur sa tombe !

— Comment osez-vous ! Sortez d'ici ! cria *Donna*
Francesca, les yeux étincelant de fureur. M'avez-vous
entendue ? Sortez de ma maison !

— Votre maison ? Ah ! ah ! Francesca... ainsi,
déjà, vous vous attribuez le butin ? Le vieux bâtard est
en terre depuis quelques heures à peine et déjà vous
vous appropriez la villa. Et le reste, Francesca ? Et ma
part ? Suis-je arrivé trop tard pour ça aussi ? Et vous,
major, ajouta-t-il, je vous connais, non ?

Il observa Menotti attentivement.

— Oui, je vous connais, je m'en souviens maintenant. Le petit officier aux gants blancs et aux bottes
bien cirées tout juste bon à étudier les cartes, à trois
kilomètres en arrière des lignes, tandis que mes gars
se faisaient hacher par la cavalerie autrichienne !

Le major regardait droit devant lui.

— Tu es injuste, Ferrucio, dit le docteur Sabastiani. Le major Menotti est un excellent soldat.

— Dans un salon ou dans la chambre d'une dame, je parie !

Ferrucio riait avec agressivité, essayant de mettre le major en colère. Menotti continuait à regarder devant lui, il grimaça un sourire bien que le canon du pistolet fût dangereusement près de son front où perlait la sueur. Carlotta pleurait à chaudes larmes.

— Silence, Vous ! Cessez de pleurnicher !

Mais Carlotta ne pouvait plus s'arrêter : elle sanglotait.

— Tu vas trop loin, Ferrucio, dit le médecin qui ne souriait plus.

— Ah ! Pietro, Pietro... pourquoi es-tu là avec ces charognes ?

Ferrucio s'empara d'une bouteille de vin et la porta à sa bouche, renversant sa tête en arrière pour boire, mais sans cesser de surveiller les convives. Quand il eut vidé la bouteille, il fit claquer sa langue de satisfaction et s'assit lourdement sur le canapé, le canon du pistolet toujours dirigé vers l'assemblée.

— *Donna* Francesca, il faudra me faire cadeau d'une douzaine de bouteilles semblables quand je prendrai congé de vous, dit-il.

— Vous pouvez les avoir tout de suite si vous partez.

— Je les aurai quand je voudrai, *Signora*. Je ne suis pas pressé. Qui sait ? Je déciderai peut-être de passer la nuit ici.

Carlotta poussa un petit cri d'effroi et s'efforça d'étouffer ses sanglots dans son mouchoir.

— Ne t'inquiète pas, tu n'as rien à craindre de ce fanfaron ! railla *Donna* Francesca.

— Vous ne m'avez pas toujours traité de fanfaron, Francesca !

— Vous n'avez pas toujours été un aussi vil individu !

Ferrucio retira son chapeau et fit une révérence grotesque. Son regard, néanmoins, demeurait méfiant.

— Cela peut vous intéresser de savoir, *Signor* Massingham et toi aussi Elizabeth, puisque vous êtes tous les deux étrangers, que Ferrucio Lupo a connu jadis une formidable réputation de guérillero, de chef et de patriote.

Donna Francesca ne regardait même pas Ferrucio en parlant. Elle avait l'air de décrire un objet méprisable.

— Continue, donc, ordonna Lupo d'une voix dure.

— Très bien. M'écoutez-vous, *Signor* Massingham ? Ceci devrait avoir de l'intérêt pour votre livre. Ce... criminel était, il y a trente ans, une sorte de héros paysan. Mais regardez-le maintenant. Voyez ce qu'il est devenu ! Et toi aussi, Elizabeth, regarde-le !... Ah ! ce misérable était appelé autrefois le « Loup de Monte Neve » !

Elizabeth avait peur de regarder Ferrucio Lupo, peur de voir la colère provoquée en lui par les paroles de sa tante. Elle observait les autres visages, ceux des deux servantes terrifiées, de Carlotta, de Raffaele, du major Menotti, du médecin, de *Donna* Francesca, d'Albert Massingham. Ce dernier était seul à sourire ou tout au moins à faire une grimace qui singeait le désespoir en face du visage malveillant de Ferrucio. Les autres étaient ouvertement terrifiés, effrayés, furieux ou inquiets. Le Dr Sabastiani ne savait que penser, *Donna* Francesca se montrait impérieusement furibonde... ou en donnait-elle l'illusion ?

Mais elle seule savait ce qu'elle voulait : provoquer

la colère de Ferrucio. Pourquoi ? Et pourquoi
distinguait-elle Massingham et Elizabeth des autres
convives ? Désirait-elle attirer sur eux la fureur de ce
Lupo ?

— Tu ne m'écoutes pas, Elizabeth.

— Excusez-moi, tante Francesca.

La jeune fille avait tressailli, comme une écolière
surprise à rêver. Elle ajouta :

— Je ne voudrais pas vous offenser, *signor* Lupo,
je suis sûre que vous avez été un courageux meneur
d'hommes, mais je suis très fatiguée : si vous vouliez
bien m'excuser...

— Personne ne quitte cette pièce ! hurla le hors-la-
loi.

D'un mouvement du pistolet, il invita Elizabeth à
se rasseoir.

— Vous voyez ? dit *Donna* Francesca avec un léger
sourire de triomphe. Vous voyez tous le genre d'individu dont vous êtes les prisonniers ? Ne te fais pas
d'illusions, ma chère Elizabeth, tu es sa prisonnière
aussi. C'est un bandit recherché par la police, et qui
pourrait fort bien te garder contre rançon.

— Silence !

L'homme bondit sur ses pieds, brandissant son pistolet. La balle frappa le centre du trumeau, et une
pluie de verre cassé tomba. L'une des femmes de
chambre s'écroula sur ses genoux derrière *Donna*
Francesca. Carlotta s'évanouit. Les autres ne bougè-
rent pas.

Des fragments de verre s'écrasèrent sous les bottes
de Ferrucio qui contournait lentement la table. Seule,
Donna Francesca osa le défier.

— Quelle manifestation de courage ! railla-t-elle.

— Taisez-vous. Vous savez pourquoi je suis venu.

N'essayez pas de me distraire, je veux ce qui m'appartient !

— Dans ce cas, vous avez réellement changé, Ferrucio. A présent, vous n'êtes plus qu'un vieux loup édenté : vous ne pouvez plus que gronder !

— Peut-être, mais un vieux loup ne tombe pas deux fois dans le même piège. Cette fois, Francesca, j'ai posté des sentinelles.

— C'est inutile.

— Inutile ? Même s'il est dans sa tombe, je me méfie de votre frère !

Ferrucio cracha par terre avec mépris.

— Ne pouvez-vous même pas respecter les morts ?

— Après ce qu'il m'a fait ?... Il m'a trahi, il m'a volé mon honneur, ma liberté et ma part du butin ! Maudite soit son âme !

— Silence !

Les lèvres de *Donna* Francesca étaient blanches de colère.

— Comment osez-vous ? Vous n'étiez pas digne de lécher les bottes du général ! Comment osez-vous, en présence de sa famille, de sa fille ?...

— Sa fille ?

Tous les regards fixèrent Elizabeth, spécialement celui de Ferrucio : colère et mépris s'effacèrent un peu de son visage, remplacés par une sorte de galanterie sournoise.

— Pardonnez-moi, *Signorina* ! J'oubliais que le vieux Manfredo avait une petite fille.

Il s'approcha et dévisagea Elizabeth.

— Oui, dit-il, je vois la ressemblance... mais vous êtes encore plus belle que votre mère. Quel est votre nom ?

— Elizabeth.

— J'ai connu votre mère, chère Elizabetta, le savez-vous ? Non ? Oui, je me souviens d'elle. Une femme merveilleuse. Elle était infirmière. Comme le bon docteur, elle soignait nos blessés. Elle était belle et elle était bonne, bien trop bonne pour ce traître de Quercia. C'est bien qu'elle soit retournée dans son pays avant que le vin ne soit devenu vinaigre !

Effrayée, indignée, humiliée par cette mise à nu de la plaie de son enfance, Elizabeth baissa les yeux.

— Ferrucio !

La voix du Dr Sabastiani était basse et dure. En même temps qu'Albert Massingham, le médecin commençait à se relever.

— Restez où vous êtes tous les deux !

Leur docilité envers Ferrucio fut causée moins par le pistolet menaçant que par la soudaine apparition d'un autre bandit sur le seuil de la salle à manger. Un vieux chapeau était enfoncé jusqu'à ses yeux. Deux cartouchières se croisaient sur son gilet de cuir et il tenait une carabine, prête à tirer, à la hauteur de sa taille, un doigt sur la détente. Le canon était dirigé droit sur le médecin.

— Tout va bien, père ?

— Je t'ai dit de monter la garde ! gronda Lupo sans quitter des yeux Albert Massingham.

— On a entendu un coup de feu...

— Oui. Le miroir m'énervait. Ne t'inquiète pas, Storpio. J'ai tout bien en main. Où est ton frère ?

— Il fait les provisions. Il n'y avait qu'une vieille à la cuisine : elle s'est évanouie.

Ferrucio ricana.

— Nous avons une maison pleine de femmes évanouies !

D'un geste du menton, il désignait Carlotta qui

revenait à elle avec l'aide de Raffaele qui lui tapotait doucement les poignets et lui tendait un verre d'eau.

— Tu vois, mon fils : des femmes évanouies ou pleurnicheuses. Et un morveux d'officier. Pas de quoi s'inquiéter. T'es-tu occupé des chevaux ?

— Oui. J'en ai trois.

— Eh bien, il en faut quatre. Nous allons emmener un otage.

— Un otage ? Bien !

Le jeune bandit regarda l'assistance avec intérêt.

— Celle-là ? demanda-t-il en jaugeant Elizabeth.

— Je n'ai pas encore décidé, répondit Ferrucio, lui imposant silence d'un geste de la main.

— Ferrucio ! je t'avertis...

Le Dr Sabastiani était à moitié redressé, une main sur la table, l'autre crispée sur le dossier de sa chaise.

— Ne te mêle pas de ça, Pietro. Cela ne te concerne pas.

— Cela me concerne tout à fait, au contraire. Ne fais de mal à aucune de ces personnes. Si tu veux prendre un otage, prends-moi.

Surpris, Ferrucio se mit à rire.

— Toi, Pietro ? Mais tu n'as aucune valeur ! Qui paierait ta rançon ? Et puis, tu es mon vieux camarade. Qui donc enlèverait un vieux camarade ?

— Prenons celle-là.

Storpio continuait de regarder Elizabeth avec insistance. Il mit un doigt crasseux sur son épaule.

— Celle-là. Elle est jolie.

— Que le diable vous emporte ! Ne la touchez pas !

Albert Massingham bondissait de sa chaise mais Storpio fut plus rapide. Il se retourna et donna un coup de grosse dans les côtes du jeune Anglais que la douleur plia en deux.

— Je veux que nous prenions celle-là ! répéta Storpio sur un ton de défi.

— C'est moi qui donne les ordres ! tonna Ferrucio. Mais en dépit de son air féroce, on voyait bien qu'il ne savait pas quel ordre donner, ni comment agir à présent. Il jeta au médecin un regard presque penaud.

— C'est moi qui commande ! répéta-t-il. Peut-être que nous n'emmènerons pas la petite Anglaise, finalement.

— Anglaise ! s'exclama Storpio, le regard avide. Je n'ai jamais connu d'Anglaise...

Du revers de la main, Ferrucio gifla son fils sur la bouche.

— Imbécile ! N'apprendras-tu jamais rien ? Mon honneur est engagé dans une affaire de ce genre. Ne te l'ai-je pas dit ? Quand on prend un otage, on doit toujours le rendre contre rançon sans lui avoir fait de mal.

Il se tourna vers *Donna* Francesca.

— Par contre, si la rançon n'est pas payée, le sort de l'otage est réglé selon les conventions. Réglé totalement au jour dit. Triste, hélas ! mais c'est la coutume. L'honneur d'un homme est engagé. Autrement, comment gagnerait-il le respect des gens ?

— Tu passes trop de temps en bavardages ! grommela Storpio. Finissons-en. Moi, je trouve qu'il faut emmener l'Anglaise : les Anglais sont riches et honorables, ils paieront.

Son regard obstiné luisait dans son visage penché vers Elizabeth. Tout s'exprimait sur ce visage, la sauvage cupidité, la violence, la concupiscence.

Elizabeth détournait les yeux, se sentant sans défense dans cette situation impossible, irréelle. Trois jours plus tôt, elle était dans le Devon, dans la bibliothèque du pensionnat. Une vie ennuyeuse, routinière, protégée... jusqu'à l'arrivée de ce télégramme incompréhensible.

Et maintenant...

— Allez ! Sur vos pieds ! aboya Storpio.

A demi arrachée de sa chaise, Elizabeth leva le bras droit. Sa main décrivit un arc de cercle et la paume ouverte frappa à toute volée le menton sali de barbe.

Storpio écumait de rage.

— Touche-la et tu es mort ! menaça une voix autoritaire.

La main de Storpio s'immobilisa à mi-course. Elizabeth se retourna pour faire face à la porte.

Giacomo était debout sur le seuil, maintenant un couteau sur la gorge d'un adolescent aux cheveux noirs, aux traits accusés, à l'air effrayé, vêtu du même genre d'accoutrement que Ferrucio et Storpio. Il utilisait son corps comme un bouclier. De son autre main, à la hauteur de sa taille, il tenait un fusil de chasse à double canon, pointé sur le ventre de Ferrucio.

— Mettez vos armes sur le buffet, vous deux, commanda Giacomo, et reculez contre le mur.

— Fais ce qu'il dit père... je t'en prie ! Autrement, il me coupera la gorge ! supplia Beppi.

Ferrucio fit signe à Storpio d'obéir.

Quand les armes furent empilées sur le buffet et les trois bandits alignés contre le mur, le major Menotti se leva.

— Bravo, Leonardi ! dit-il. Bien joué ! A présent, je vais vous délivrer de votre responsabilité à l'égard des prisonniers.

— Asseyez-vous.

— Quoi ? Comment osez-vous ?... Dois-je vous rappeler que je suis un officier du roi...

— Taisez-vous et asseyez-vous, répéta laconiquement Giacomo.

Il se tourna vers Elizabeth.

— T'a-t-il fait mal ?

— Non.

— Ils allaient l'enlever, déclara *Donna* Francesca. Ce sont des assassins, des hors-la-loi ; il faut les livrer comme prisonniers au major Menotti.

— S'ils sont prisonniers, ce sont les miens : pas ceux du major.

Le « si » parut rendre un peu d'espoir à Ferrucio qui sourit aimablement à Giacomo.

— Oui, vous nous avez bien capturés, *Signor*. Mais comme je ne voulais aucun mal à personne ici, qu'importe ?

Il regarda Giacomo, cherchant à lire sur son visage des signes de magnanimité. N'en voyant pas, il continua avec un peu d'hésitation.

— Que voulez-vous faire de nous, *Signor* ?

Giacomo jeta un coup d'œil à Elizabeth.

— Que veux-tu que je fasse d'eux ?

— Moi... ? Eh bien... eh bien... je ne sais vraiment pas. Tu peux les laisser aller, je crois, s'ils promettent de s'éloigner et de ne plus ennuyer personne ici.

— Merci beaucoup, *signorina* ! s'écria Ferrucio Lupo, enchanté. Je promets. Nous promettons tous !

— Non !

Donna Francesca s'était levée.

— Ces hommes sont des criminels. Il faut les remettre au major Menotti, les faire passer en justice...

Giacomo lui coupa la parole.

— Cela ne me regarde pas, dit-il. Ils peuvent partir.

— Merci ! Et nos armes ? S'il vous plaît, *Signor*... Celui-là... Du pouce, Ferrucio désignait le major.

— Sur son ordre, une légion de policiers va envahir la montagne à l'aurore. Sans nos armes, nous sommes morts. Par le pain qui me nourrit, je vous jure que si vous nous rendez nos armes, nous partirons immédiatement, et sans rancune contre personne. Je vous en prie, *Signor*... je vous donne ma parole !

— Je garantis l'honneur du *Signor* Lupo, dit le Dr Sabastiani.

Sans savoir pourquoi, Elizabeth fut mal à l'aise en face du calme du médecin. Un peu plus tôt, il adressait des remontrances aux bandits, protestant contre leur idée de prendre un otage, et maintenant il semblait prêt à faire confiance à Ferrucio et à ses fils. Etait-il trop naïf ? Ou y avait-il entre lui et Ferrucio un lien qui dépassait ceux d'une ancienne amitié ?

— J'exige qu'ils soient arrêtés et traînés devant les tribunaux ! cria *Donna* Francesca en tapant sur la table.

Giacomo ne l'écouta pas.

— Donnez-leur leurs armes, docteur, dit-il. Mais avant, retirez toutes les cartouches.

— Vous paierez cela, Leonardi ! gronda *Donna* Francesca.

— J'ai déjà payé, *Donna* Francesca. L'avez-vous oublié ?

— Vous êtes aussi mauvais... en fait, vous êtes pire que ces bandits !

Lupo entendit la remarque à sa façon. En passant près de Giacomo, tout en glissant son pistolet vide dans la ceinture de son pantalon, il lui dit à mi-voix :

— De cœur, vous êtes l'un de nous, non ?

— Non.

— Mais tout comme moi, *Signor*, vous êtes vif, malin et brave, hein ? Etre tombé sur nous comme ça...

— Sortez.

Indignée, *Donna* Francesca quitta la pièce.

Ferrucio Lupo s'inclina devant Elizabeth.

— Adieu *Signorina*, dit-il. Soyez sûre que je n'aurais pas autorisé mon fils à vous faire du mal.

Il se tourna vers le docteur Sabastiani et l'étreignit.

— Adieu, cher ami... J'ai été heureux de te revoir, Pietro. Je compte sur toi pour lui rappeler que je n'ai pas l'intention d'être volé de ma part, tu entends ? Dis-lui que j'ai mes espions, moi aussi, et que je serai informé du testament du vieux aussi vite qu'elle. Et dis-lui que maintenant, le loup est plus vieux, mais qu'il en sait davantage !

Sur ses mots, il sortit, suivi de ses deux fils.

Giacomo attira Elizabeth à l'écart.

— Tu as vu ce qui s'est passé ce soir, murmura-t-il. Je t'en prie, retourne en Angleterre.

— Mais...

— Suis mon conseil. Bonne nuit.

Albert Massingham alla verrouiller la porte derrière lui. Elizabeth frissonna. Elle se sentait soudain coupée du monde.

Séparée de Giacomo...

CHAPITRE IV

Le lendemain, la police assigna à résidence tous les occupants de la villa, à l'exception du major Menotti, tandis que des bataillons sillonnaient la campagne pour capturer le « Loup et ses bâtards ».

Elizabeth s'apprêtait à aller se promener.

— Je regrette, Elizabeth, insista *Donna* Francesca, mais je suis obligée de te demander si tu comptes sortir du jardin...

— Je vais seulement faire un tour, dit la jeune fille avec un haussement d'épaules.

— Aviez-vous l'intention d'aller voir Giacomo Leonardi ? demanda le major.

— Oui, en effet.

— Il n'est pas chez lui. Il a dû s'enfuir pendant la nuit.

— Pourquoi se serait-il enfui ? s'étonna Elizabeth.

— Il a disparu, si vous le préférez. Disparu aussi discrètement que Lupo et ses fils.

— Pourquoi voulais-tu le voir ? demanda *Donna* Francesca.

— Pourquoi ? Parce que c'est mon ami, c'est tout. Et pourquoi cet interrogatoire ?

Il y avait plus de tristesse que de défi dans la voix de la jeune fille.

— Ce n'est pas un interrogatoire, Elizabetta. On doit se montrer très prudent dans le choix de ses amis. Giacomo Leonardi a été très impoli avec le major !

— Est-ce un crime ?

Le major Menotti secoua la tête en souriant.

— Non, dit-il, mais avoir aidé ces bandits à s'enfuir en est un.

Son sourire s'effaça aussi vite qu'il avait paru, et sa cravache claqua sèchement contre sa botte vernie.

— Il n'est coupable de rien. Il est venu à notre secours.

— A votre secours, Elizabetta. Il l'a clairement fait entendre.

— Alors, ne vous étonnez pas si je désire aller le voir pour le remercier.

— Je préfère que vous ne vous approchiez pas de son chalet.

— Vous ne pouvez pas me l'interdire !

— Je le peux fort bien ! déclara le major. En tant qu'officier supérieur investi de certains pouvoirs dans cette région, pour la répression du banditisme, je me verrais obligé d'agir...

— Je vois, répondit-elle, sarcastique.

— J'en suis heureux. La coopération de tous les civils sera grandement appréciée par moi-même et par la police. Et maintenant, si vous voulez bien m'excuser...

Il fit un raide salut militaire, puis se tourna vers Carlotta qui accepta son bras avec un sourire béat pour quitter la pièce.

Elizabeth leur emboîta le pas.

— Un instant, s'il te plaît, Elizabeth. J'ai à te parler, déclara *Donna* Francesca.

Elle attendit que sa fille et le major fussent hors de
portée de leurs paroles, pour s'expliquer.

— Je serai parfaitement franche avec toi. Je sais
pourquoi tu es venue ici... ou plutôt je me doute de la
raison de ta présence à Piazza Domenica. Tu penses
que feu mon frère t'a nommée dans son testament,
n'est-ce-pas ? Non, laisse-moi finir... tu t'attends à ce
qu'il t'ait laissé pratiquement toute sa fortune, n'est-il
pas vrai ?

Donna Francesca semblait presque contente,
comme si elle éprouvait une satisfaction vindicative à
constater la vénalité d'une personne ordinaire. Pour
elle, Elizabeth était encore la méchante, la vilaine
petite fille d'autrefois. Elle le serait toujours.

La jeune fille la regarda en face, essayant de ne pas
montrer sa stupeur impuissante en face de cette accusation, mais avant qu'elle eût pu se défendre, sa tante
reprit, sèche et triomphante :

— Oui, je l'ai deviné. Mais tu n'aurais pas eu
besoin de faire ce grand voyage, ma chère. Oh !... sans
doute mon frère t'a-t-il laissé quelque chose... Manfredo n'était pas un être insensible, mais tu découvri-
ras bientôt qu'il a légué la majeure partie de ses biens
à tes cousins. Il aimait Raffaele et Carlotta plus que
s'ils avaient été ses propres enfants. Tu verras !

— Vous vous trompez, tante Francesca ! répliqua
Elizabeth, luttant pour conserver son calme. Je suis
venue pour l'enterrement de mon père...

— Précisément. Tu nous as déjà parlé de ce télégramme si opportunément arrivé.

Les lèvres de *Donna* Francesca s'entrouvrirent une
fois de plus sur un mince sourire, mais le sourire ne

s'étendait pas jusqu'à ses yeux qu'assombrissait le soupçon.

— Ce mystérieux télégramme qui t'a informée de l'accident de mon frère avant qu'il ne se produise ! ajouta-t-elle triomphalement.

— Le télégramme parlait seulement de maladie, pas d'accident.

— C'est vrai. Pardonne-moi. Et pourtant...

Elle s'interrompit, avant de reprendre, l'air sournois :

— Et pourtant, Manfredo était en excellente santé.

— Je puis vous montrer ce télégramme si vous le désirez.

— Ce n'est pas nécessaire. Je te crois, Elizabeth. Et je te crois lorsque tu dis que ce télégramme t'a été adressé par un ami. Mais combien as-tu d'amis à Piazza Domenica ?

Combien ?... Giacomo.

Seulement lui ? Avait-il envoyé le télégramme ? Et pourquoi ?

Elizabeth devinait que ces questions, et toute son incertitude, se lisaient sur son visage. *Donna* Francesca l'observait attentivement.

— Eh bien, Elizabetta ?

— Est-ce là tout ce que vous aviez à me dire ?

— C'est tout. Sauf, naturellement, que je te rappelle le conseil que t'a donné le major Menotti, d'être prudente dans le choix de tes amis.

— Alors, sachez que ce conseil est superflu en ce qui me concerne...

Et sur ces mots, elle sortit se promener dans le parc, l'esprit assailli de questions. Giacomo avait-il envoyé le télégramme ? Comment l'aurait-il fait ? Il ne savait ni lire ni écrire... il aurait pu dicter le message à quelqu'un... Mais que signifiait cette référence à une maladie alors que le général se portait parfaitement bien... Giacomo avait-il eu une prémonition ? Un avertissement ? Non, c'était ridicule !... Giacomo pouvait-il avoir joué un rôle vital dans les événements qui entouraient la mort soudaine du général ? Après tout, il était seul à s'être trouvé là... Non, c'était inconcevable. Et qu'en était-il de cette histoire de testament ? Et de cette promesse faite à Giacomo par son père, et qui semblait ne pas avoir été tenue ?... Pourquoi Ferrucio revendiquait-il « sa part du butin » ? Quel butin ? Pourquoi sa tante était-elle si certaine que ses enfants seraient les seuls héritiers ?

Autant de questions dont Elizabeth ignorait la réponse. Elle regrettait presque d'avoir reçu ce télégramme, de ne pas être restée en Angleterre.

A la fin de l'après-midi, elle comprit avec tristesse que ses cousins souhaitaient aussi qu'elle ne fût pas venue. Raffaele le lui fit comprendre sans équivoque lorsque la jeune fille, accompagnée d'Albert Massingham, entra dans la bibliothèque.

Après le déjeuner, Albert l'avait rejointe dans le jardin, grommelant qu'il ne parvenait pas à prendre l'habitude de faire une sieste.

Elizabeth avait accepté volontiers sa compagnie. Il marcha à son côté, s'arrêtant quand elle s'arrêtait, regardant les fleurs ou les massifs qu'elle regardait, écartant les branches qui gênaient leur marche, et de temps en temps, discrètement, l'entraînant loin des statues les plus dénudées.

Il se comportait de manière agréable et attentionnée, avec une lueur d'ardeur timide quand son regard se posait sur le visage de la jeune fille. Mais soixante minutes de conversation tournant exclusivement autour des recherches historiques d'Albert, soixante minutes de campagnes autrichiennes, de Garibaldi, de relations anglo-italiennes, vinrent à bout de la résistance d'Elizabeth. Elle essaya de déguiser son manque d'intérêt par des protestations d'ignorance : il lui indiqua alors d'excellents ouvrages, et l'entraîna aussitôt dans la bibliothèque de la villa.

La bibliothèque, ou plutôt le bureau du défunt général, était tapissée de rayonnages chargés de livres parmi lesquels tous les classiques italiens que visiblement on ne lisait jamais.

Raffaele était vautré dans un vaste fauteuil de cuir, les jambes allongées, les pieds posés sur un tabouret. Un verre à liqueur vide était posé par terre à portée de sa main, un cendrier, sur un bras du fauteuil, et sur l'autre bras, une assiette vide, un couteau et une fourchette prouvaient qu'un supplément au déjeuner avait été apporté de la cuisine. Un livre ouvert reposait sur son estomac qui se soulevait et retombait doucement au rythme de la respiration. Raffaele avait les yeux clos.

— Mieux vaut ne pas le déranger, murmura Albert. J'en ai pour une seconde...

— Un volume sera tout à fait suffisant.

— A la vérité, mademoiselle Oakwood, je viens de me souvenir d'un manuscrit rédigé de la main même de votre père qui devrait vous intéresser. Un compte rendu splendide. En fait, les papiers du général et ses notes sont...

— Soigneusement sous clé.

Du fond de son fauteuil, Raffaele les fit sursauter par son intervention.

— Ah !... Désolé de vous avoir dérangé, mon vieux. Mais ne faites pas attention à nous, nous serons partis

dans une seconde. Que disiez-vous sur les papiers du
général ?

— Ils sont sous les verrous. Sous séquestre, pour
ainsi dire.

— Je ne comprends pas bien...

— Papiers de famille. Privés et confidentiels.
Faites-vous partie de la famille, monsieur Massingham ?

— Evidemment non, mais...

— Mais quoi ?

— Eh bien, d'une part, votre défunt oncle m'a
expressément autorisé à me servir de tous les papiers
que...

— Oncle Manfredo est mort.

— Oui, mais...

— Et tous ses papiers, ses notes, ses carnets, ses
cartes... tout est sous clé. Vous comprenez ?

Albert hocha la tête. Même dans la pénombre, Elizabeth lisait la déception sur son visage.

— Raffaele...

Elle s'avança vers son cousin.

— Raffaele, qui a eu l'idée de mettre les papiers
sous clé ?

— Le major Menotti.

— Je vois. Vous parliez de papiers de famille ? En
tant que fille du général, peut-être aurais-je l'autorisa-
tion de...

— Je parlais de *ma* famille, naturellement.

— Le général était *mon* père, souvenez-vous-en.

— Je vous en prie.

La main d'Albert effleura le bras de la jeune fille
pour l'inciter poliment au calme.

— Cela n'a aucune importance, réellement.

Il se tourna vers Raffaele.

— Nous étions seulement venus pour emprunter un ou deux livres de la bibliothèque, si cela ne vous fait rien...

— Je vous en prie, servez-vous. Moi aussi, je lisais. Un livre de poèmes de votre inestimable *lord* Byron. Aimez-vous Byron ?

Albert marchait le long des rayonnages, examinant les titres. Il haussa les épaules.

— Byron ? Non, je suis plutôt un fervent de Tennyson.

— Dommage ! susurra-t-il en fermant le volume de ses doigts épais.

— Et vous, Elizabeth ? Toutes les femmes aiment les poètes romantiques. Et Byron est si observateur, si perspicace, vous ne trouvez pas ? Il y a près de soixante ans, il se plaignait déjà que l'Italie soit empestée d'Anglais.

— Par exemple ! s'écria Albert en se retournant. Vous êtes fichtrement impoli. Vous devriez présenter vos excuses, spécialement à mademoiselle Oakwood !

— Ma cousine n'est qu'à moitié anglaise.

— Par conséquent, je ne vous empeste qu'à moitié.

Elizabeth s'efforçait de prendre un ton nonchalant.

— Je ne te présenterai donc qu'une moitié d'excuse.

— Voyez-vous, monsieur Massingham, dit la jeune fille, Raffaele essaye seulement d'être drôle.

Elle prit le premier livre qui lui tomba sous la main, sans même en regarder le titre.

— Je crois que nous devrions partir. Je pense que mon cousin désire continuer sa lecture.

Une main molle s'éleva et remua vaguement dans leur direction, en guise de salut. Les paupières de Raf-

faele retombaient déjà et le volume avait repris sa
place sur le gilet de satin.

Quand la porte fut refermée derrière eux, Elizabeth leva les yeux sur Albert Massingham et elle dit,
en grimaçant un sourire :

— Avez-vous comme moi l'impression que nous ne
sommes guère les bienvenus ici ?

Il hocha la tête, les sourcils froncés, l'air presque
distrait.

— Eh bien... si vous voulez bien m'excuser, je vais
regagner ma chambre et m'étendre un peu avant le
dîner, reprit la jeune fille. Il n'est jamais trop tard
pour s'habituer à la sieste, je pense.

— Comment... Ah oui ! Je vous verrai au dîner.
Une vraie malchance, pour ces papiers, pas vrai ?

Pauvre Albert ! Il avait l'air consterné.

Le dîner fut long et ennuyeux. La conversation suc-
cincte qui l'accompagna ne fut ni particulièrement
détendue ni spécialement réjouissante. Le Dr Sabastiani tenta courageusement de témoigner aux convives
une certaine amabilité polie, mais il ne rencontra que
peu de collaboration : seule Elizabeth essaya de lui
donner la réplique. Les autres étaient trop préoccu-
pés, *Donna* Francesca par ses devoirs de maîtresse de
maison, Raffaele par ce qu'il mangeait, Albert Massingham par la séquestration des papiers du général
et les difficultés qui en résultaient pour ses recherches. Carlotta s'efforçait d'attirer l'attention de son
hardi fiancé, et ce dernier affectait l'attitude de l'officier consciencieux, chargé de responsabilités, et cherchant le moyen de capturer une troupe de bandits qui
avaient osé le ridiculiser.

Elle regarda autour d'elle intriguée, consciente
des regards méfiants et hostiles qui la dévisageaient

tour à tour. Qu'attendaient-ils avec autant d'appréhension ? La lecture du testament de son père ?...

Celle-ci commença à onze heures quinze précises le
jour suivant. Toute une assistance était rassemblée
dans la bibliothèque : les parents proches du défunt,
son vieil ami le docteur Sabastiani, son ancien aide de
camp, le major Menotti, les serviteurs de la villa, et
différents hommes de loi.

L'avocat romain était visiblement le personnage le
plus important de l'assemblée ; ses assistants por-
taient deux serviettes ventrues qui contenaient une
impressionnante quantité de papiers timbrés, de par-
chemins et de documents. La serviette de l'homme de
loi de Citta Capragnano n'était pas aussi remplie et ne
révéla pas une collection aussi importante de documents. Le notaire de Piazza Domenica tira quelques
feuilles de papier d'une grande enveloppe brune.

Donna Francesca, serrant un lot de mouchoirs contre elle, assumait bravement le rôle de meneuse du
deuil, les lèvres serrées par la résignation et les responsabilités acceptées sans plaintes. Carlotta s'efforçait d'imiter sa mère. Avec un peu d'encouragement,
pensa Elizabeth, sa cousine aurait pu aller jusqu'à
fondre en larmes devant les personnages officiels.
Seul, Raffaele, pour une fois penché en avant et non
pas vautré sur son siège, les coudes sur les genoux,
était assez ingénu pour laisser voir sa cupidité.
L'expression et la posture du major Menotti étaient
analogues, bien que plus discrètes. Le Dr Sabastiani,
les yeux à demi fermés, ses mains maigres croisées
sur la crosse de sa canne, semblait un peu gêné,
comme s'il était conscient de ne pas faire partie de la
maisonnée et d'avoir été invité à la cérémonie par politesse et par respect.

L'honorable avocat romain parla pendant deux heures environ. Il commença par quelques phrases de condoléances, plus obligées que sincères, puis répudia prestement les sentiments pour aborder, d'une voix forte, les détails concernant les propriétés du général. Il se fit donner par ses assistants des listes manuscrites de renseignements subsidiaires, dettes contractées par le défunt, sommes à régler à des créditeurs, titres divers à distribuer aux bénéficiaires, donations à des institutions religieuses, offrandes en vue de prières et de messes, dépenses de funérailles...

Elizabeth avait peine à rester éveillée. Elle n'avait jamais connu son père, mais il lui était pratiquement impossible de se faire une image de lui au travers de cette sèche énumération de chiffres et de pourcentages. Il en ressortait cependant que le général n'avait pas été un homme très riche. C'était là le fait saillant qui émergeait du rapport de l'avocat. La déception qui assombrissait le visage de sa tante et de ses cousins le confirmait suffisamment. Raffaele tremblait littéralement d'indignation et d'espoirs frustrés. *Donna* Francesca mettait toute sa volonté à paraître digne et désintéressée, et ce n'était pas facile. Elle venait d'apprendre qu'elle héritait de son défunt frère, les meubles et les tableaux de la villa, plus une petite pension annuelle et la jouissance de la villa pendant la saison. Rien de plus. Il y avait naturellement une modeste somme qui constituerait la dot de Carlotta, et pour Raffaele, afin d'éviter qu'il ne suivît l'exemple de son père et ne dissipât ses avoirs, un legs inaliénable. En fin de compte, un héritage bien inférieur à celui qu'ils avaient tous escompté !

Elizabeth, qui les observait discrètement, avait presque pitié d'eux. Surtout de Carlotta. Sa cousine

regardait son fiancé avec angoisse : sa dot lui
suffirait-elle ? Apparemment non. Le major, les sourcils froncés, frappait de ses doigts le bord de sa chaise
et ne faisait guère attention à la jeune fille. Pour sa
part, il héritait d'une collection de souvenirs militaires, médailles, décorations, jumelles et autres objets
de ce genre. C'était très gentil, très affectueux de la
part de son vieux chef, mais que rapporterait ce bric-
à-brac sur le marché ou chez un prêteur sur gages ?

La voix de l'avocat continuait à énumérer longuement les sommes variées à distribuer aux serviteurs
du défunt. Elizabeth refoulait un bâillement quand
son attention fut appelée par la mention du nom de
Giacomo.

« ... Et à Giacomo, fils unique de la veuve Leonardi,
mon loyal et dévoué compagnon de chasse, je lègue la
parcelle de terrain qu'il a si soigneusement cultivée
près de la rivière, sur laquelle sa maison est
édifiée... »

Elizabeth se rappela sa conversation avec Giacomo
dans le chalet. Son père avait-il enfin tenu par ce legs
la seconde promesse qu'il lui avait faite ?

Elizabeth jeta un coup d'œil sur sa tante. Son
visage était demeuré imperturbable ; seules ses mains
bougeaient, ses ongles se crispaient sur les accoudoirs
de son fauteuil.

Elizabeth décida d'aller voir Giacomo sur-le-
champ pour lui annoncer que son père avait été fidèle
à sa parole.

Elle se rappela soudain qu'elle était dans une pièce
pleine de monde et que tous les yeux étaient fixés sur
elle. L'avocat romain lisait toujours le testament : ses
paroles semblaient chargées d'une signification qui
avait échappé à la jeune fille, mais avait pour résultat

d'attirer l'attention sur elle. Sur un ton agacé, l'homme de loi lui enjoignit de l'écouter et il répéta le passage qu'il venait de lire :

— ... « A l'épouse dont je suis séparé, Margaret, je retourne les lettres qu'elle m'a écrites, et qui sont contenues dans l'enveloppe cachetée qui porte son nom. Au cas où mon épouse serait décédée avant moi, les lettres ci-dessus mentionnées seront remises à sa fille Elizabeth, afin que l'enfant soit ainsi mise au courant au moins de certains détails qui ont provoqué l'éloignement de sa mère de l'homme qui était légalement son mari... »

Elizabeth rougit et pâlit aussitôt. Elle regarda droit devant elle, sachant trop bien que tous les assistants savouraient cette allusion à un fait peut-être scandaleux. Elle-même redoutait quelque peu le contenu de ces lettres, et pourtant, elle était pleine d'une douloureuse curiosité.

En silence, elle s'approcha de la table, prit des mains du notaire une grosse enveloppe, en signa le reçu, puis se glissa sans bruit hors de la bibliothèque, ne donnant ni explications ni excuses pour son départ précipité. Le Dr Sabastiani, en un geste d'affectueuse sollicitude, vint lui ouvrir la porte.

Elle monta directement dans sa chambre et en ferma la porte à clé. Allongée sur son lit, elle contempla l'enveloppe pendant un long moment. Puis, brusquement, elle déchira l'enveloppe. La curiosité, le désir, l'excitation et l'angoisse se mêlaient en elle tandis qu'elle dénouait le cordon qui enserrait les lettres.

Elle reconnut aussitôt l'écriture de sa mère et la tristesse l'envahit. Il y avait dix lettres en tout, toutes datées de Londres, vingt ans plus tôt : elles étaient presque aussi âgées que la jeune fille elle-même. Elle les parcourut rapidement d'abord, ne sachant trop ce qu'elle y cherchait.

Puis une deuxième lecture, plus lente, plus attentive, ne laissait aucun doute sur ce qu'Elizabeth avait toujours supposé : sa mère avait souffert de l'inconsciente cruauté de son père et elle avait été heureuse de s'y soustraire.

Des phrases éclairaient les épreuves subies par la mère d'Elizabeth. Ainsi Margaret écrivait : *Non, je ne puis accepter ce que tu appelles des « pécadilles ». Peut-être, avec le temps, aurais-je pu te pardonner, mais tant que nous vivions ensemble, je n'ai jamais pu me résoudre à ce que tu t'en vantes auprès de moi, comme s'il s'agissait de hauts faits militaires...*

Une autre lettre disait : *Ou bien tu me pardonneras tout, ou bien tu ne me pardonneras rien. D'une façon ou d'une autre, cela ne changera rien pour moi.*

Plus loin, dans la même lettre : *Cela ne vaut-il pas mieux ainsi ? Je crois que c'est préférable. Pous nous deux. Et pour mon enfant. Comment peux-tu penser que je reviendrai ? Vos lois italiennes et vos lois religieuses n'autorisent pas le divorce, et même si elles l'autorisaient, que je l'obtienne contre toi nuirait à tes ambitions sociales et politiques. Mieux vaut que je disparaisse de ta vie et que je te laisse le rôle de la victime. Mais nous savons tous les deux qui a trahi l'autre. Ce n'est pas moi qui, la première, ai brisé le lien... et pour ce que j'ai fait, je ne demande aucun pardon.*

La dernière lettre était la plus explicite : *Je n'écrirai plus, Manfredo. Cela ne sert à rien. Ce que tu dis est vrai, mais je n'implore pas ton pardon. Pourquoi demanderais-je pardon ? Je serai toujours heureuse d'avoir eu le courage de saisir ces trop brefs moments de joie avec un être qui représentait pour moi la plus*

*noble forme d'amour, une réalité plus merveilleuse
que tout idéal... quelque chose que tu ne peux pas comprendre, Manfredo. Il n'avait rien de ton mépris,
inconsciemment cruel, pour ma dignité de femme. Il
m'aimait... Je l'aimais et je l'aimerai toujours... Adieu,
Manfredo.*

Elizabeth retomba sur son lit et serra les lettres
contre sa poitrine. Il était à la fois exquis et douloureux de posséder ces messages, qui constituaient un
lien ineffable entre elle et la jeune femme d'il y avait
vingt ans et qui était sa mère. Il m'aimait... *Il
m'aimait... Je l'aimais. Je l'aimerai toujours.* Ces mots
tournaient dans l'esprit de la jeune fille avec la douceur d'une berceuse ancienne...

Sa mère avait eu un amant ! L'intention, en remet-
tant les lettres à Elizabeth, avait été d'humilier la
mère aux yeux de son enfant, de ternir sa mémoire.
Mais Elizabeth n'éprouvait aucune humiliation. Elle
était charmée par la romance évoquée par cette révélation. Elle était à la fois pleine de pitié et d'envie pour
sa mère, et par-dessus tout, elle était heureuse, car il y
avait eu au moins un merveilleux éclair de poésie et de
passion dans la triste et trop courte vie de sa mère.

Poésie. Passion. Etait-ce vraiment comme cela ?
Giacomo l'aimerait-il jamais d'un amour plus merveilleux que l'idéal ? Les lèvres d'Elizabeth remuèrent
comme pour prier.

Elle reprit les lettres une fois de plus et les feuilleta en songeant à Giacomo, et à sa mère lorsqu'elle
était jeune, fraîche, pleine d'espoir... en rêvant au
monde de l'amour dont elle ignorait tout. Les lettres
glissèrent de sa main. Sur le verso d'une des feuilles,
on avait tracé un croquis schématique, une sorte de
plan, comme on peut en dessiner distraitement. Oui,

c'était bien un plan de la région : la montagne nei-
geuse dominait le croquis, et là, dans l'angle, en bas à
droite, on reconnaissait la vallée et la maison. De
l'autre côté, se trouvait la rivière qui descendait sur
Piazza Domenica. Sur une pente du *Monte* Neve, il y
avait un endroit marqué d'une croix, et en dessous
étaient inscrits ces mots : *maison San Lorenzo Nord-
Ouest*. Cette indication ne lui disait rien. L'écriture
n'était pas celle de sa mère, elle était hardie, masculine, sans grâce. L'écriture de son père ? Probablement. Une annotation pour la chasse sans doute.

Elizabeth replia les lettres, les réunit par le cordon
et les remit dans l'enveloppe qu'elle plaça sous son
oreiller.

Demain matin, elle irait voir Giacomo. Elle aurait
tant de choses à lui dire !

CHAPITRE V

Il était de très bonne heure, et les policiers s'apprêtaient à partir.

En sortant discrètement de la villa et du jardin, Elizabeth évita l'emplacement du camp en faisant un grand détour. D'un pas nonchalant, elle emprunta le sentier qui coupait à travers bois.

Elle perçut bientôt un bruit de brindilles brisées. Elle s'arrêta et se retourna, s'attendant à se trouver en face d'un carabinier et de s'entendre intimer l'ordre de regagner la villa.

— Mademoiselle Oakwood... attendez-moi, je vous en prie.

En dépit de sa casquette de chasse, de son costume de sport et de sa canne massive qui lui donnaient l'air d'un hobereau anglais accomplissant sa promenade matinale, il y avait dans les mouvements d'Albert Massingham une sorte de hâte fébrile.

Il sourit et souleva sa casquette pour saluer Elizabeth en parvenant à sa hauteur.

— Pardonnez-moi de vous avoir suivie, mais j'ai pensé que c'était un peu risqué de votre part de vous en aller seule avec tous ces gars de la milice partout...

On ne sait jamais, avec ces étrangers. Si vous le voulez bien, je vous escorterai.

— C'est très aimable à vous, remercia Elizabeth.

Elle était à la fois surprise et touchée par cette attention, et aussi, pour être absolument sincère vis-à-vis d'elle-même, un peu déçue par cette présence.

— Ce n'était vraiment pas la peine de vous inquiéter de moi, ajouta-t-elle.

— Peut-être... mais laissez-moi tout au moins vous accompagner jusqu'au chalet de Leonardi. C'est là que vous allez, je suppose ?

— Oui.

— C'est ce que je pensais. Je n'y resterai pas, je vous le promets : je vous laisserai à sa porte. Cela vous convient-il ?

— Parfaitement, dit Elizabeth avec un sourire.

Il marcha près d'elle en silence pendant un moment, écartant avec le bout de sa canne les branches mortes tombées dans le chemin.

— Elizabeth... Puis-je vous appeler Elizabeth ?

— Oui, si vous voulez.

— Merci. Elizabeth... il y a une chose dont je dois vous parler... Je sais que j'ai l'air de me mêler de ce qui ne me regarde pas, mais j'ai vraiment l'impression que vous pourriez être en danger ici.

— Ici ? Dans les bois ?

— Les bois, la villa, tous les environs.

— A cause de la police ?

— Non, ils sont en train de faire leurs paquets, grâce au ciel ! Très franchement, je ne sais rien de précis. Voyez-vous, à la vérité... Je connais le contenu du testament de votre père. Le docteur Sabastiani me l'a confié hier soir.

— Quel rapport peut avoir le testament avec ma sécurité ?

— Eh bien... il n'a pas dû vous échapper que votre tante et vos cousins ont été terriblement déçus.

— Peut-être. Cela dépend de ce qu'ils espéraient...

— Justement. Ecoutez... je dois vous avouer que j'ai un peu écouté aux portes hier soir. Bonté divine, sans en avoir eu l'intention, je ne voudrais pas que vous ayez mauvaise opinion de moi... non : cela s'est produit tout à fait par inadvertance, je vous assure. Par hasard, j'ai entendu le début d'une conversation entre votre tante, votre cousin Raffaele et le major...

— Et ?...

— Et la nature des propos échangés était telle que j'ai estimé de mon devoir de continuer à les écouter. Votre tante se considère comme doublement dépossédée, Elizabeth, d'abord par la mort du général, évidemment... et ensuite, presque aussi naturellement, par l'incompréhensible disparition de la considérable fortune du défunt.

— Incompréhensible ? N'y avait-il pas assez d'hommes de loi présents et suffisamment de documents produits pour rendre compte de chaque penny ?

— C'est là que réside le mystère ! Voyez-vous, d'après ce que j'ai entendu hier soir, il est évident que la disparition de la majeure partie des richesses de votre défunt père n'est pas une chose sur laquelle votre tante soit libre d'interroger les avocats et notaires. Cela ne vous donne-t-il aucune idée ?

— Aucune.

— Non ? Eh bien, je vais vous dire quelle idée cela me donne à moi, car je voudrais vous aider.

L'Anglais s'interrompit, hésitant, son regard inter-
rogeant le visage de la jeune fille.

— Ecoutez... tout cela est horriblement gênant... le
général étant votre père...

— Que cela ne vous embarrasse pas, Albert. Je ne
l'ai jamais vu. Il n'était pour moi qu'un étranger. Que
désirez-vous me dire ?

— Eh bien, pour commencer... je crois qu'au cours
de ses campagnes, votre père a mis la main sur une
considérable somme d'argent, ou sur une chose — je
ne sais laquelle — de très grande valeur.

— Vous parlez de pillages ?

— Si vous voulez, oui.

Soudain, il mit une main sur le bras de la jeune
fille et la regarda d'un air suppliant et confus.

— Oh ! que le diable m'emporte ! Je sais que c'est
horrible de dire cela alors qu'il a été si bienveillant
envers moi, m'invitant à venir ici, à consulter ses
livres, ses papiers... C'est un affreux soupçon à faire
peser sur un homme mort aussi récemment... et dont
vous êtes la fille. Je suis désolé, mais...

— Mais vous ne l'en soupçonnez pas moins de
s'être *illégalement* enrichi par des prises de guerre.

Albert hocha la tête.

— J'en ai peur. J'ai entendu votre tante le dire,
hier soir, à peu près nettement. Et il y a autre chose.
Vous rappelez-vous ce que ce Ferrucio a dit à *Donna*
Francesca ?

— Oui. Il a dit que mon père l'avait trahi et qu'il
lui avait dérobé son honneur, sa liberté, et sa part du
butin.

— Exactement. Savez-vous qu'à un moment
donné, le général Della Quercia et Ferrucio Lupo
étaient camarades dans la légion de Garibaldi ?

— J'avais compris cela, oui.

— Et je parierais une livre contre un penny qu'en ce temps-là, pendant qu'ils combattaient côte à côte, l'un d'eux, ou tous les deux ensemble, ont découvert une chose de grande valeur...

— Et se la sont disputée ?

— Cela en a tout l'air, non ?

— Et c'est le général qui s'est tout approprié.

Elizabeth ne posait pas de question, elle acceptait plutôt, avec calme, la théorie d'Albert. Il aurait fallu, pour la nier, une perverse obstination ou une aveugle loyauté filiale. Elizabeth possédait une très faible dose de l'une ou de l'autre. Elle se tourna vers son compagnon.

— Que pensez-vous qu'il soit advenu de... cette chose de valeur ? De ce butin ?

Il haussa les épaules.

— Qui le saurait ? Mais je crois que j'ai été bien près de découvrir quelque chose à ce sujet, et vraisem-blablement c'est pour cette raison que je n'ai plus accès aux papiers de votre père. Voyez-vous, au moment de ce malheureux accident, j'utilisais des documents qui relataient la période pendant laquelle Ferrucio Lupo a combattu au côté du général. Je crois qu'ils ont eu peur que je n'en découvre trop...

— « Ils » ?

— Votre tante, Raffaele et le major.

— Je vois.

— De plus, après cela, une partie de mes notes a mystérieusement disparu, précisa Albert, l'air mal-heureux.

— Je suis désolée, Albert. Je sais quel intérêt vos recherches représentent pour vous.

— Cela n'a pas grande importance. Je m'inquiète

davantage du fait qu'après le départ des hommes de loi hier, votre tante, vos cousins et le major sont restés enfermés pendant des heures dans la bibliothèque. Il semble qu'ils aient soigneusement passé en revue tous les papiers de votre père. Apparemment sans rien trouver.

— Pourquoi cela vous inquiéterait-il ?

Il la regarda avec une timide anxiété.

— Parce que, d'après ce que j'ai entendu hier soir, ils semblent supposer que s'il existe des indices permettant de retrouver la fortune cachée du général, ceux-ci doivent se trouver dans l'enveloppe qui vous a été remise.

— Cette enveloppe ne contenait que quelques lettres.

— Vous en êtes sûre ?

— Evidemment. Des lettres personnelles de ma mère à mon père.

— Et il n'y avait rien de votre père ?

— Rien.

— Pas même quelques mots ? Un griffonnage ? Une courte lettre, ou...

— Non !

— Pardonnez-moi, Elizabeth, mais vous ne semblez pas vous rendre compte de la gravité de ce que je vous dis, expliqua doucement Albert. *Ils* croient que vous détenez la clé qui donne accès à la fortune du général. Et ils la convoitent.

— Vous voulez dire qu'ils voleraient mes lettres ? Franchement, Albert, c'est tout à fait absurde !

— Croyez-vous ?

— J'en suis convaincue ! dit Elizabeth fermement. De toute façon, s'ils me les dérobent, j'entreprendrai de récupérer ce qui m'appartient par l'intermédiaire d'un tribunal. Les lettres sont à moi, c'est tout simple.

— Il y a autre chose, Elizabeth... Votre état civil. Ils ont également discuté de cela.

— Mon état civil ?... Que voulez-vous dire ?

Le jeune Anglais resta sans voix un moment, les joues rouges d'embarras, les yeux baissés. Il en avait trop dit.

— Albert, qu'y a-t-il ?

La confusion lui troublait le regard.

— Je vous en prie, dit Elizabeth, je veux savoir tout ce que vous avez entendu.

— En réalité, ce n'est rien... en tout cas, je n'ai pas cru un seul mot de leurs insinuations...

— Parlez clairement.

— Votre état civil, Elizabeth... Ne comprenez-vous pas ? Si c'est nécessaire, ils nieront que le général a été votre père !

Cette révélation donna à Elizabeth l'impression physique d'avoir reçu un coup. Elle s'arrêta brusquement et faillit entrer en collision avec le jeune homme.

— Qu'est-ce que vous dites ?

— Je suis navré, Elizabeth... sincèrement... mais vous avez voulu savoir tout ce que j'ai entendu.

— Oui, oui. Qu'ont-ils dit exactement ?

— Eh bien, ils ont laissé entendre qu'ils vous feraient passer pour illégitime.

— Comment cela ?

— D'après eux, le testament fait allusion implicitement à cet état de fait. Que cela pourrait se plaider devant un tribunal.

Malgré sa stupéfaction, Elizabeth s'efforça de se souvenir des termes du testament, principalement du passage qui traitait des lettres de sa mère. *A l'épouse dont je suis séparé, je retourne les lettres qu'elle m'a*

écrites, et qui sont contenues dans l'enveloppe cache-
tée qui porte son nom. Au cas où mon épouse serait
décédée avant moi, les lettres ci-dessus mentionnées
seront remises à sa fille Elizabeth, afin que l'enfant
soit ainsi mise au courant tout au moins de certains
détails qui ont provoqué l'éloignement de sa mère de
l'homme qui était légalement son mari...

« Sa » fille Elizabeth. « L' » enfant. Pas une fois, le
général n'avait mentionné Elizabeth comme s'il s'agissait de sa fille à lui. Pourquoi ? Etait-ce un mauvais
choix de termes, ou une omission délibérée ? Sa mère
avait eu un amant : cela, tout au moins, était sûr. Donc
il était possible que ce mystérieux amoureux eût été le
père de la jeune fille. Possible... Suffisant pour que
Donna Francesca s'autorisât quelque revendication.

Le testament, et le butin, et la fortune secrète du
général n'avaient pas la moindre importance... mais
l'idée que le défunt pouvait n'avoir pas été son père
suffisait pour procurer à Elizabeth une joie indicible.

Albert avait l'air coupable et gêné de celui qui
vient de porter une impardonnable accusation. Il
essaya de prendre la main de la jeune fille.

— Elizabeth... je suis tellement désolé...

Lentement, elle leva sur lui un regard étincelant,
un visage radieux et non pas honteux, indigné ou
meurtri.

— Vous n'êtes pas fâchée ? demanda l'Anglais.

Elle ne l'entendit même pas. Il continuait à la
regarder, stupéfait du changement qui était survenu
en elle : pas de larmes, aucune expression de dignité
offensée, seulement un regard étrangement vague et
un menton fièrement relevé.

— Vous n'êtes pas fâchée contre moi ? répéta le
jeune homme.

Elle le stupéfia plus encore : elle se pencha et lui donna sur la joue un baiser rapide, amical.

— Vous êtes si gentil, Albert ! dit-elle. Que deviendrais-je sans votre amitié ?

Albert rougit. Ses joues prirent presque la teinte d'or roux de sa barbe, et il sourit avec une joie timide.

Le chalet était en vue à présent. Elizabeth ajouta :

— Merci de m'avoir accompagnée jusqu'ici.

— Ce fut un plaisir pour moi. Eh bien... je suppose que vous voudrez tenir bon ?

— Oui.

— Prenez garde.

— C'est entendu.

— Je parle des lettres... vous connaissez votre tante, et le major.

— Oui. Merci de l'avertissement.

— Alors, je vous reverrai à la villa ?

— Oui.

Il souleva sa casquette, et partit à reculons.

Elizabeth lui fit, du bras, un geste amical avant de descendre, entre les arbres, vers le chalet.

Le chalet et le terrain alentour semblaient aussi avoir reçu la visite des carabiniers : le jardin potager avait été piétiné par leurs chevaux et, à l'intérieur de la maison, tous les meubles avaient été vidés sur le sol, et leur contenu dispersé au cours de recherches. Il n'y avait nulle trace de Giacomo, mais Elizabeth avait l'intuition qu'il rentrerait bientôt...

La jeune fille se mit aussitôt à l'ouvrage, lavant, nettoyant, frottant, allant chercher des seaux d'eau dans le ruisseau. Elle accomplissait ces humbles tâches presque joyeusement en dépit de la demi-frayeur causée par les mises en garde d'Albert.

Quand elle eut achevé, elle alla s'asseoir sur le

seuil de la maison, l'épaule appuyée contre le chambranle. Le ciel couvrait la vallée comme un lumineux rideau bleu. De tout petits nuages blancs, poussés par une brise légère, parcouraient l'espace limpide, leur ombre assombrissant la montagne à leur passage.

Soudain, elle le vit qui sortait de la forêt.

— Giacomo... bonjour !

Elle se leva avec un geste de bienvenue et s'avança vivement vers lui.

— Bonjour, Giacomo. Seigneur ! Tu as besoin de te raser !

— Que fais-tu ici ? Il peut être dangereux de tant t'écarter de la villa.

Il se débarrassa du lourd sac de montagne accroché à son épaule, mais garda le fusil serré dans son autre main, puis il siffla, bas, longuement : quelques instants plus tard, les chiens émergèrent du taillis pour s'approcher de lui. Sur un signe, ils entrèrent dans le ruisseau et burent.

— Les policiers sont venus, dit la jeune fille.

— Je sais.

Son regard suivait les chiens qui maintenant flairaient les traces de pas des chevaux dans la poussière.

— Pourquoi es-tu là, Elizabetta ?

— Pour te voir.

Un instant, ses traits durcis se détendirent.

— Pourquoi ?

— Parce que j'ai, je crois, une bonne nouvelle pour toi. Elle a un rapport avec le testament du général.

Avec quelle étrange rapidité elle en était venue à parler du général et non de « son père » !

— Te rappelles-tu m'avoir dit que le général t'avait fait une promesse ?

— Oui.

Il hocha vivement la tête, presque avec impatience. Il n'y avait plus de réserve ni de colère dans ses yeux, mais une sorte de subtile méfiance, comme s'il redoutait une déception.

— Eh bien, Giacomo, je crois qu'il a tenu cette promesse.

Dans son enthousiasme, Elizabeth voulut prendre la main du jeune homme, mais soit volontairement, soit par hasard, il occupa ses mains à changer son fusil d'épaule.

— As-tu entendu ce que j'ai dit ?

— Oui.

— Alors ?...

Le premier, il atteignit la porte du chalet. Il lui tournait le dos en entrant, ses larges épaules faisant obstacle, entre eux, à toute communication. Elizabeth le suivit, et en silence, le regarda accrocher son fusil à son clou, au-dessus de la cheminée, et commencer à défaire les courroies de son sac à dos. Son regard embrassa la pièce nette et propre.

— Je savais bien qu'ils allaient tout mettre sens-dessus-dessous, dit-il. Merci.

Elle ignora ses remerciements.

— Giacomo, ne veux-tu pas savoir ce qu'il y avait dans le testament du général ?

Dans la barbe noire de trois jours, la bouche formait une ligne sévère, et dans les yeux, Elizabeth lisait cette expression qu'elle connaissait bien autrefois, celle d'un animal blessé — mais désormais il s'y mêlait autre chose, une sorte de crainte, une sorte de pitié...

— C'est bon : parle-moi du testament.

Elle s'avança d'un pas, pleine d'espoir.

— Eh bien, Giacomo, il t'a laissé ce terrain. Le chalet, la terre que tu as cultivée. Tout est à toi, Giacomo, légalement, officiellement.

D'un geste impatient, il repoussa la nouvelle, comme si elle n'avait aucune importance.

— Que disait-il d'autre ?

— Ne comprends-tu pas, Giacomo ? Tu es ici chez toi !

— Ce lopin de terre a toujours été à moi. Et à ma mère auparavant.

— Comment ?... Alors, sa promesse ?...

— Sa promesse n'avait aucun rapport avec la maison et le terrain !

Le visage sombre et méfiant, Giacomo ajouta :

— Quoi d'autre, Elizabetta ?

Elle secouait la tête sans comprendre.

— Rien. Sauf qu'il saluait en toi un loyal compagnon de chasse.

— Un compagnon de chasse ? C'est tout ?

— Oui.

— Tu es sûre ?

— Mais oui, je suis sûre !

La jeune fille perdait patience. Giacomo s'assit lourdement, comme infiniment soulagé... ou totalement vaincu.

— Qu'y a-t-il ? demanda Elizabeth. Qu'est-ce qui ne va pas ?

Elle s'approcha de lui : elle aurait voulu tendre la main, le toucher.

Il leva les yeux sans répondre et interrogea :

— Et toi, Elizabeth, es-tu contente de ce que le testament de ton père contenait pour toi ?

— Oui, très contente.

— Alors, je suis heureux. Très heureux pour toi...

Il eut un bref sourire, si chaleureux qu'elle en eut le cœur battant.

— Oui, Giacomo. J'ai hérité d'une chose de grande valeur. Des lettres de...

Il leva une main pour lui imposer silence.

— Je ne veux rien savoir. Que tu sois heureuse me suffit. Et maintenant, tu vas rentrer dans ton pays, non ?

— Non. Mon pays, c'est ici.

— Comment ?...

— Ici, dans ces montagnes...

Elle fixait sur lui des yeux agrandis, pleins d'amour. Elle devinait qu'il lisait clairement dans sa pensée. Son regard le suppliait de parler. D'exprimer son amour pour elle.

— Je veux rester ici avec toi, Giacomo.

Un instant, il parut sur le point de la prendre dans ses bras. Mais il se ravisa aussitôt, et ses poings se crispèrent.

— Je t'aime, dit Elizabeth.

Elle chancela et s'appuya contre lui, en une sorte d'appel désespéré.

Giacomo poussa un long soupir de douleur infinie, et quand ses mains se posèrent sur les épaules d'Elizabeth, elle comprit que ce geste avait pour but de l'éloigner.

— Je t'aime !...

Ce n'était plus qu'un murmure, presque imperceptible.

— Est-ce à cause de cela que tu es venue aujourd'hui ?

— Oui.

— Viens, Elizabetta. Je vais te reconduire à la villa.

— Non... non ! Je veux savoir..., gémit Elizabeth. Je t'en prie, Giacomo !... N'as-tu pas envie que nous soyons heureux ?

Il s'éloigna d'elle et lui tournant le dos, se dirigea vers la cheminée.

— Il est des choses plus importantes que le bonheur dans la vie ! dit-il.

— Comment cela ?

— L'honneur. La justice. La revanche.

Sur ces mots prononcés avec tant de solennité, il décrocha son fusil et le pendit à son épaule.

— Viens, Elizabeth. Je vais te reconduire.

— Non, protesta-t-elle. Si tu me chasses maintenant, je ne reviendrai jamais. Je ne te reverrai jamais. Jamais !

C'était à la fois une prière et un défi, passionnés, angoissés. Elle regardait Giacomo. Il semblait lointain, presque froid et insensible, se maîtrisant beaucoup mieux qu'elle.

— Viens, Elizabeth. Il se fait tard.

— Je t'en prie, ne te dérange pas. Déjà, j'en ai peur, je t'ai pris trop de temps...

Elle passa rapidement devant lui, pour qu'il ne vît pas les larmes dans ses yeux incrédules. Il ne l'aimait pas ! Son univers s'effondrait. Elle sortit précipitamment.

Au-dessus d'elle, autour d'elle, les montagnes étaient sombres et insondables. Luttant contre les larmes, vidée de tout espoir, elle courut aveuglément entre les arbres sur la pente qui montait du chalet.

CHAPITRE VI

La première balle ricocha sur un rocher à trois
mètres devant elle environ. La seconde s'enfonça avec
un bruit sec dans le tronc d'un arbre à deux pas seulement.

Elizabeth poussa un cri.

L'instinct seul la fit se jeter de côté, hors de la tra-
jectoire du plomb.

Une autre balle siffla.

— Couchez-vous, Elizabeth ! Par terre !

La voix d'Albert !

Elle se retourna, ne vit rien, personne, entendit
seulement le bruit d'un corps qui se hâtait à travers le
taillis, plus proche, plus proche...

— Jetez-vous par terre, pour l'amour de Dieu !

Elizabeth courut, créature affolée par la peur tandis qu'une fois de plus une balle heurtait les feuillages
au-dessus d'elle.

Albert parut, émergeant des buissons épais. Il
s'élança sur elle. Elle bascula sous la force du choc.

— Baissez la tête, et rampez comme moi.

Elle obéit, tel un automate.

Les coups de feu continuaient à entretenir le péril
au-dessus de leurs têtes, mais ils atteignirent enfin

l'abri d'un taillis et retombèrent sur un épais lit d'aiguilles de pins et de poussière. Ils restèrent là, l'un contre l'autre, hors d'haleine. Les yeux fermés, la tête rejetée en arrière, Elizabeth essayait de reprendre sa respiration.

— Chut ! Ne bougez pas !

Il était allongé à moitié sur elle. Elle n'eut pas l'énergie de remuer, ou de penser à résister à la proximité de cet autre corps. Les coups de feu continuaient, mais ils paraissaient moins rapprochés et semblaient s'éloigner dans la vallée. Albert se dressa sur les coudes et tendit l'oreille.

— Des fusils Verteli... Un... deux... trois...

Il écoutait toujours, découvrant des précisions d'après le son hideux des armes.

— Trois... peut-être quatre fusils Verteli. Autrement dit ceux des carabiniers. Grâce au ciel, quelques-uns sont restés en arrière pour garder la villa !

— S'il vous plaît... vous êtes très lourd...

L'expression tendue de l'Anglais s'effaça quelque peu, pour laisser la place à un sourire un peu confus. Il la regarda.

— Désolé...

L'était-il vraiment ? Il bougeait à peine, la dévisageant.

— Vous êtes très belle, Elizabeth.

Il approcha ses lèvres.

— Non, je vous en prie ! protesta-t-elle, incrédule.

Mais déjà les lèvres du jeune homme emprisonnaient sa bouche.

Instinctivement, elle tenta de résister à sa passion maladroite et d'échapper au poids de son corps, mais en vain. Alors elle se figea, submergée par le souvenir de Giacomo, cet homme qu'elle aimait et qui venait de la repousser. Elle avait besoin de la forme protectrice d'un homme après sa récente terreur... ou d'une épaule sur laquelle pleurer... Albert était l'ami qui l'avait avertie du danger, qui venait de la sauver d'un imminent péril...

Percevant sa froideur, Albert libéra la jeune fille de son emprise. Il hésita un instant, puis s'éloigna d'elle avec un soupir de honte et de déception mêlées.

— Il s'agit de Giacomo Leonardi, n'est-ce pas ?

— Oui, répondit Elizabeth.

— Etes-vous éprise de lui ?

— Oui.

Il y eut un long silence, puis Albert détourna la tête.

— Je regrette, bafouilla-t-il. Je n'aurai pas dû faire cela.

La jeune fille lui prit la main et la porta à ses lèvres, en signe de pardon.

— Ils ne tirent plus, dit Albert pour masquer son embarras.

A cet instant, ils entendirent des pas. Albert se redressa à demi et jeta un coup d'œil prudent par-dessus un rocher.

— Ce sont des carabiniers.

Il semblait infiniment soulagé. Il tira un mouchoir de sa poche, l'agita au-dessus de sa tête tout en les appelant.

Les deux miliciens les rejoignirent aussitôt.

— Alors ? Avez-vous atteint quelque chose ? demanda la voix du major Menotti qui venait de surgir.

Les deux hommes se mirent aussitôt au garde-à-vous.

— Non, *major*, répondirent-ils en chœur.

— Avez-vous vu quelqu'un ?

— Non, *major*.

— Que le diable vous emporte !

— Ah ! major ! intervint Albert. Quelle histoire ! Qui pensez-vous que ce soit ? Notre vieil ami Ferrucio Lupo ?

— Non, pas si près de la villa. Si vous voulez mon avis, c'est ce chien de Leonardi !

Il s'interrompit, remarquant la présence d'Elizabeth, occupée à remettre de l'ordre dans sa toilette.

— Eh bien... eh bien !... Qui avons-nous là ?

— Mademoiselle Oakwood vient de connaître une terrible mésaventure, dit Albert.

Mais il ne fit qu'ajouter à l'embarras de la jeune fille en rougissant furieusement, puis en brossant ses manches pour les débarrasser de la poussière et des aiguilles de pins.

— Elle a eu très peur...

— Vraiment ?

Le major sourit. Avec intérêt, il fixait l'échancrure du corsage d'Elizabeth.

— Je suis heureux de voir que vous n'avez pas souffert de votre « mésaventure », mademoiselle, railla-t-il.

Avec dignité, Elizabeth soutint le regard moqueur.

— Quelqu'un a tenté de la tuer ! précisa Albert en se rapprochant de la jeune fille. Nous avons dû nous cacher là, vous voyez ? J'espère que vous ne pensez pas que...

Mais à présent, même les deux carabiniers « pensaient », imaginaient. Sans la présence de leur chef, songea Elizabeth, ils auraient ouvertement ricané.

— Veuillez me ramener à la villa, demanda-t-elle à l'Anglais d'une voix rauque de fatigue et de chagrin.

— Oui, oui, certainement...

— Escortez-les, ordonna le major au plus âgé des carabiniers. Nous ne pouvons permettre de nouveau que cette jeune femme soit exposée à une autre... que disiez-vous, *Signor* Massingham ?... ah oui ! une terrible mésaventure.

A l'autre milicien, il ordonna sèchement :

— Vous, venez avec moi.

Albert marcha derrière Elizabeth, les yeux baissés. Il avait l'air bouleversé.

Poussée par un sentiment de compassion, et aussi par l'idée que le major Menotti assistait sans nul doute à leur déconfiture avec une triomphante satisfaction, Elizabeth, soudain, tendit une main et prit celle de l'Anglais.

— Merci ! dit-elle en souriant.

Il jeta sur elle un regard vide, incompréhensif.

— De m'avoir sauvé la vie, acheva-t-elle.

Ces derniers mots furent tout près de lui tirer des larmes. Albert battit des paupières précipitamment, puis fixa un point lointain et imprécis. Ses doigts serrèrent plus fort ceux de la jeune fille, en un paroxysme de contrition et de gratitude.

Près du mur d'enceinte de la ville, ils rencontrèrent le Dr Sabastiani, armé d'un pesant fusil de chasse, avançant péniblement sur le sol inégal, soutenu par un milicien.

— Dieu soit loué ! Vous êtes sauvé, Elizabeth ! s'écria-t-il.

Epuisé, il vacilla, et Elizabeth se précipita pour le soutenir.

— Dites-moi, balbutia-t-il, avez-vous pu voir celui qui tirait sur vous ?

— Non.

— En êtes-vous certaine ? Réfléchissez, Elizabetta. C'est important.

— Je n'ai rien vu. Absolument rien.

— Enfin... l'essentiel est que vous n'ayez pas de
mal.

— Oui. Vous sentez-vous mieux ?

— Beaucoup mieux, merci... Mes vieilles jambes...

— Donnez-moi le bras... c'est cela. Albert ?

— Comment ?... Oh ! pardon.

Albert se chargea du pesant fusil de chasse et offrit
son bras au médecin de l'autre côté. Son front était
soucieux.

— Docteur, puis-je vous poser une question ?

— Certainement.

Albert hésita.

— Vous et ce milicien avez gravi cette pente ?...

— Oui.

— Vous veniez de la direction opposée à celle des
coups de feu ?

— C'est exact.

— Par conséquent, vous n'avez pu voir ce qui s'est
passé ?

— Non...

— Alors, pourquoi, monsieur, avez-vous présumé
que mademoiselle Elizabeth était la cible visée ?

— Pourquoi ?... eh bien... parce que...

— Vraiment, Albert !

Elizabeth était horrifiée. Le médecin secoua la
tête.

— Non, Elizabetta, c'est une bonne question.

Cependant, son regard évitait celui de la jeune
fille.

— Notre jeune ami est observateur. Il a les quali-
tés d'un bon détective. Il pose de bonnes questions.

— Mais vous ne m'avez pas encore répondu, docteur.

L'hésitation du Dr Sabastiani était-elle subtilement évasive ? Elizabeth se le demanda. Son bras serré contre celui du médecin perçut un faible frémissement : l'homme haussait les épaules. Indécision, ou confusion ?

— Eh bien ?

— Eh bien, monsieur Massingham, j'ai pensé qu'on tirait sur Elizabetta lorsque, immédiatement après les deux premiers coups de feu, nous l'avons entendue crier. Nous étions dans le jardin à ce moment-là.

Ces simples paroles avaient l'accent de la vérité. Albert lui-même dut le reconnaître. Il hocha lentement la tête, reconnaissant la logique de l'explication du médecin.

— Oui... oui, c'est vrai, Elizabeth. Vous avez crié...

— Je suis une femme ! rétorqua-t-elle, indignée. Je suis autorisée à crier quand quelqu'un tire des coups de fusil dans ma direction !

Le Dr Sabastiani vint au secours du jeune homme :

— Je vous en prie, mes enfants. Nous sommes tous un peu émus. Elizabetta, si le *Signor* Massingham a été un peu direct dans ses questions, c'était seulement par souci pour votre sécurité. Il a raison de se méfier de tout le monde.

— Oui, sans doute... je regrette.

Il n'y avait rien d'autre à dire.

Ils trouvèrent Raffaele près de la maison, un Raffaele vigilant et prudent, qui tentait vainement de dissimuler ses formes épaisses derrière l'un des sveltes piliers de la loggia, son fusil vacillant entre ses mains incertaines, un Raffaele transformé en sentinelle qui,

bien que le petit groupe se présentât en pleine lumière
et assez bruyamment, fit honneur à la mémoire de son
oncle illustre en criant :

— Halte ! Qui va là ?

Nul ne lui répondit ou ne ralentit son allure. Il
capitula :

— Très bien. Avancez.

Ils passèrent devant lui avec lassitude et entrèrent
dans la maison, à l'exception du carabinier qui releva
Raffaele de sa mission avec un ricanement laconique.

— Vous devriez aller dans votre chambre et vous
étendre un moment, conseilla le médecin à Elizabeth.

— Je ne suis pas fatiguée. Vraiment ! protesta-t-
elle.

— Le docteur Sabastiani a raison. Vous venez de
passer par une pénible épreuve ! dit Albert.

Puis il rougit au souvenir de la part qu'il avait
prise dans l'épreuve en question.

— Je vous en prie, Elizabeth. Un peu de repos vous
fera le plus grand bien...

Avec un sourire anxieux, le Dr Sabastiani réussis-
sait à combiner une prescription professionnelle et
une chaleureuse sollicitude.

— Oui, vous avez peut-être raison, admit Elizabeth. Je crois que je vais m'étendre un moment.

Elle trouva la porte de sa chambre entrebâillée.
Avec appréhension, elle poussa le battant. Elle surprit
ainsi *Donna* Francesca et Carlotta, en train de fourra-
ger dans sa coiffeuse.

Donna Francesca se retourna brusquement ; ses
yeux sombres et insondables prirent une expression
glacée.

— Ah ! Elizabeth ! dit-elle. Je suis heureuse de
voir que tu n'es pas blessée.

— Tu as dû être épouvantée ! Quelle terrible histoire ! Nous sommes montées ici en courant... de cette chambre, on a la meilleure vue, expliqua Carlotta.

Elizabeth regarda sa cousine et sa tante avec septicisme.

— Avez-vous vu qui tirait ? demanda *Donna* Francesca.

— Non, malheureusement, répondit froidement Elizabeth.

— Quelle chance pour toi, ma chère Elizabeth, que mon galant major se soit trouvé là pour te sauver ! Oh ! je suis si fière de Stefano ! s'écria Carlotta.

— C'est monsieur Massingham qui m'a sauvée, rectifia Elizabeth. Le major Menotti est arrivé bien après la fusillade.

Carlotta fronça les sourcils un instant et son sourire extasié fit place à une moue hargneuse.

— Elizabeth est certainement fatiguée, décréta *Donna* Francesca. Viens, Carlotta, laissons-la se reposer un moment.

Carlotta répondit avec empressement à l'invitation de sa mère. Elle sortit de la chambre sans ajouter un mot, avec un air boudeur. *Donna* Francesca la suivit. A la porte, elle s'arrêta et lentement tourna la tête vers sa nièce. L'habituelle froideur de ses traits était extraordinairement accusée par un étrange sourire.

— Tu feras bien de te montrer plus prudente quand tu t'éloigneras de la villa, n'est-ce pas, Elizabetta ? dit-elle.

— J'en ai bien l'intention.

La phrase était plutôt un défi qu'une résolution.

Quelques instants après le départ des deux femmes, Elizabeth constata que sa chambre avait été passée au crible. On avait fouillé partout. De minimes changements dans l'agencement des divers objets, de leurs places respectives, démentaient les explications de Carlotta sur sa présence et celle de *Donna* Francesca dans cette chambre.

Ainsi, Albert avait raison. *Donna* Francesca, Raffaele, Carlotta et sans aucun doute le major Menotti voulaient s'emparer des papiers du général. Ou plutôt, ils voulaient les lettres de sa mère.

Elizabeth courut vers son lit et repoussa les oreillers : l'enveloppe était à sa place. Elle l'ouvrit, feuilleta son contenu et constata que toutes les précieuses lettres étaient là, intactes. Décidément, la meilleure cachette pour un objet était de le laisser bien en vue de tous. Dans le cas présent, le dessous d'un oreiller équivalait presque à une exposition au grand jour. *Donna* Francesca avait dû penser que la méchante et vilaine petite fille d'autrefois était douée d'un esprit retors comme le sien. Elle avait donc fouillé tous les endroits les plus dissimulés.

C'était un petit succès pour la jeune fille, mais sa joie ne dura pas très longtemps. Son esprit revint à des questions plus urgentes. Qu'espéraient-ils donc trouver dans ces lettres ? La preuve qu'Elizabeth n'était pas la fille du général ? Un aveu sur ce point écrit de la main de sa mère qui supprimerait évidemment pour la jeune fille tout droit à un héritage quelconque ? Mais quel héritage ? Le testament était à présent publié, tout le monde en connaissait les termes. Restait la question, ou plutôt la rumeur, de la fortune du défunt, si elle avait jamais existé, et aussi le fait immédiat et inquiétant que quelqu'un avait voulu la tuer, ou tout au moins lui faire peur...

Elizabeth sentit le sommeil l'envahir. Avant de s'abandonner au délicieux assoupissement, elle alla

fermer à clé la porte de sa chambre. Quand elle fut
allongée sur la courtepointe, sa main se glissa sous
l'oreiller et ses doigts serrèrent l'enveloppe. Ainsi
dormit-elle jusqu'à la fin de l'après-midi.

Une voix chantante, des coups frappés à la porte
l'éveillèrent. Elle ouvrit les yeux, et avec soulagement,
elle sentit l'enveloppe entre ses doigts.

Une jeune femme de chambre était sur le seuil,
annonçant timidement à la jeune fille que son bain
était prêt.

Elizabeth la remercia gentiment.

Mais la jeune servante ne se retirait pas ; après
quatre jours, cependant, elle devait savoir qu'Elizabeth ne souhaitait, pour sa toilette, l'aide de personne.

En faisant la révérence, la jeune domestique tira
prestement de la poche de son tablier une petite enveloppe qu'elle glissa sous une serviette. Elle mit un
doigt sur ses lèvres et fit un clin d'œil complice à Elizabeth. Juste avant de sortir de la chambre avec sa
compagne, elle murmura :

— Le monsieur anglais...

Elizabeth referma la porte derrière la servante,
puis elle retourna près de la coiffeuse et prit l'enveloppe sous la serviette. Elle l'ouvrit et en tira une
feuille de papier, une petite feuille qui semblait avoir
été arrachée hâtivement d'un carnet. L'écriture,
anglaise, était à peine lisible.

Chère Elizabeth.

*Vous devez savoir à présent que j'ai reçu, du major
Menotti, l'ordre de quitter la villa. Immédiatement.
J'ai demandé à vous voir mais on ne m'a pas permis de
vous déranger. J'aurais voulu vous présenter mes excuses et m'expliquer, mais je ne pense pas en avoir la possibilité avant de plier bagages. J'ai appris quelque*

*chose de très important, qui a un lien avec notre con-
versation de ce matin ; très important pour vous. Je
logerai à l'hôtel Victor-Emmanuel à Citta Capragnano
pendant ces prochains jours. Je vous en prie, venez m'y
voir. Si vous ne venez pas, je devrai en conclure que
vous êtes fâchée contre moi. Je ne pourrais pas supporter cela. Je vous en prie, Elizabeth !*

    Votre très affectionné ami,

                Albert C. Massingham.

P.S. S'il vous plaît, détruisez cette lettre après lecture.

    Pauvre Albert ! Comme si elle pouvait être fâchée
contre lui parce que momentanément il avait perdu la
tête !

    Elle relut la lettre avant de la déchirer en mille
petits morceaux. Ainsi, ils mettaient Albert à la porte,
ils l'avaient chassé de la villa pendant qu'elle dormait.
Pourquoi ? Parce qu'il l'avait protégée et sauvée, ou
parce qu'il savait une chose importante ? Très importante pour elle ?

    L'hôtel Victor-Emmanuel. L'un de ces prochains
jours. Demain, peut-être. Oui, demain... si toutefois ils
la laissaient partir avec ses lettres. Mais comment l'en
empêcheraient-ils ?

    Elle se déshabilla rapidement, levant les bras pour
laisser tomber son corsage déchiré ; ses épaules
étaient égratignées et striées de traces de poussière.

    L'eau chaude, parfumée de rose, la détendit, et elle
s'abandonna au souvenir du visage de Giacomo. Une
larme naquit au coin de sa paupière quand elle se rappela ses propres paroles. *Si tu me chasses maintenant,
je ne reviendrai jamais... Je ne te reverrai jamais !
Jamais !*

    Demain... elle sortirait de la vie de Giacomo et elle
retrouverait le vide et la solitude du pensionnat de

Mlle Thorold. Giacomo resterait ici, dans cet univers dur, cruel, sincère, qui était le sien.

Avec un sanglot, Elizabeth s'efforça d'imposer silence à ses pensées. Il fallait s'accrocher au lendemain. A tous les lendemains...

L'écho du sanglot se mêla au bruit du gong qui annonçait le dîner.

La jeune fille descendit, vêtue d'une très simple robe couleur lilas, avec de longues manches et un col assez haut. Ainsi habillée, elle ressemblait un peu à *Donna* Francesca, mais elle ne voulait pas qu'on vît les petites écorchures qui rappelaient les événements de la matinée. En outre une robe décolletée l'aurait certainement exposée aux regards insolents et ironiques du major.

Ils étaient à table quand elle entra dans la salle à manger. Tous, naturellement, à l'exception d'Albert. Pour protéger la jeune femme de chambre qui lui avait transmis le message de l'Anglais, Elizabeth feignit la surprise et regarda la place vide d'un air interrogateur.

— Le *Signor* Massingham a été obligé de partir, répondit vivement *Donna* Francesca. Je regrette de devoir ajouter qu'il n'a fourni aucune explication de ce départ subit, mais il a insisté pour que ses excuses te soient adressées, Elizabeth.

— Je vois. A-t-il dit où il allait ?

— Sans doute est-il retourné à ses devoirs à l'ambassade britannique, dit le Dr Sabastiani.

Il se rassit sur sa chaise. Il avait été le premier à se lever et à saluer la jeune fille à son entrée.

— A mon avis, il est désormais à cent lieues de ces montagnes, dit le major Menotti.

Il aida galamment Elizabeth à prendre place, et reprit :

— Oui : je regrette de vous annoncer, *Signorina*, que votre compatriote a été gravement ému par le petit incident de la matinée.

— N'en avons-nous pas tous été émus ? fit dignement remarquer la jeune fille.

— Ah ! en ce qui vous concerne, cela n'a rien de surprenant. Il était tout naturel que vous ayez peur.

Le geste protecteur de la main voulait passer pour un compliment. Elizabeth n'en jugea pas ainsi, contrairement à Carlotta. Celle-ci battit des cils avec grâce et jeta un regard maniéré à son merveilleux major. A peine le remarqua-t-il. Ses yeux noirs, faussement somnolents, se fixaient sur Elizabeth.

— Oui, une jeune personne en détresse a droit à toutes les indulgences, dit-il, mais je m'attendais à ce qu'un ancien officier de l'armée britannique soit d'une autre envergure. J'avoue que Massingham m'a déçu.

— Permettez-moi de vous contredire, intervint le docteur Sabastiani d'un air timide. Je trouve que le *Signor* Massingham s'est conduit bravement.

— Et vous, *Signorina* ?

Le major était tout sucre et tout miel.

— Estimez-vous que le *Signor* Massingham s'est « admirablement » conduit ?

Ces yeux noirs et ces mains blanches qui gesticulaient faisaient horreur à Elizabeth. Plus vive encore que son désir de couper court à ces insinuations était sa volonté de défendre Albert. Elle lui devait au moins cela.

— En fait, dit-elle, j'estime qu'Albert...

— *Albert* ?... Ah ! vous parlez du *Signor* Massingham ?

— ... qu'Albert est intervenu avec beaucoup de courage. Il m'a sauvé la vie. Je lui en serai toujours reconnaissante.

— Vraiment ? Je dois donc vous présenter mes excuses. Il semble que je l'aie, à tort, accusé de pusillanimité. Apparemment, donc, il vous a rendu un service de galant homme. Quel dommage qu'il ait été forcé de nous quitter aussi vite !

— J'ai l'intention de partir aussi. Demain, précisa Elizabeth.

Elle leva la tête, qu'elle penchait sur son assiette, pour voir la réaction de *Donna* Francesca.

Il n'y en eut pas. Aucune réaction visible. D'une voix neutre, *Donna* Francesca annonça tranquillement :

— Nous partons tous demain.

— Tous ?

Le Dr Sabastiani hocha la tête.

— Oui. Un vieux médecin de campagne ne peut se permettre d'abandonner trop longtemps ses malades. J'ai honteusement négligé les miens pendant ces quelques jours.

— De toute façon, nous aurions dû fermer la villa pour l'hiver dans quelques semaines. Autant le faire maintenant, ajouta Raffaele. Ce sera bien agréable de regagner la ville un peu plus tôt que prévu.

— L'Opéra ! s'écria Carlotta. Maman, pourrons-nous garder la loge d'oncle Manfredo pour nous ?

— Non, ma petite fille, nous ne le pourrons pas. Pas avant d'avoir porté le deuil pendant une période convenable.

Les lèvres étroites de *Donna* Francesca, serrées
avec austérité, faisaient comprendre que le chagrin et
la mortification seraient sa seule distraction pendant
les six prochains mois. Raffaele leva les yeux au ciel,
et s'enfonça jusqu'au fond de son siège d'un air boudeur. La bouche de Carlotta frémit, hésitant entre la
moue et le demi-sourire docile de celle qui accepte
bravement son rôle de fille obéissante.

Observant sa tante, Elizabeth se demanda secrètement si celle-ci était coupable, au pire d'hypocrisie, au
mieux de sensiblerie imaginaire. Quoi qu'il en fût, elle
était heureuse de l'attitude de *Donna* Francesca : un
esprit de deuil dominait la table à présent et mettait
fin aux sarcasmes du major.

Après le dîner, Elizabeth ne sut que faire. Les hommes se levèrent pour se rendre dans la bibliothèque.
Le Dr Sabastiani finit par se joindre à eux sans
enthousiasme, après s'être attardé à table. Elizabeth
eut l'impression qu'il souhaitait lui parler sans oser
s'y décider. Qu'avait donc cet homme tranquille pour
la troubler à ce point ?

En regardant, à travers la table, son visage marqué
par le temps, il était évidemment impossible d'oublier
ses années de prison, de souffrances, les vicissitudes
du passé qui l'avaient courbé, presque brisé, mais cela
n'expliquait pas entièrement ses manières évasives ou
le fait que son regard ne rencontrait jamais tout à fait
celui d'Elizabeth. Cela tenait-il aux verres de ses
lunettes, à une lueur qui semblait s'allumer dans ses
yeux et pourtant s'éteignait aussitôt ?

Donna Francesca et Carlotta restèrent là, mais
elles furent bientôt plongées dans les préparatifs du
départ, appelant les domestiques, leur donnant les

instructions les plus détaillées sur ce qu'il convenait d'emballer, de mettre sous clé, de garder, de jeter.

Elizabeth offrit son aide, mais *Donna* Francesca fut horrifiée par cette proposition. Impossible ! Ces besognes revenaient aux serviteurs.

Elizabeth comprit vite qu'elle ne pouvait rester assise dans un coin avec un livre sans gêner les autres dans leurs préparatifs. Pas davantage elle ne put se réfugier dans la roseraie : un carabinier armé marchait de long en large devant la maison, rappelant que les abords de la villa n'étaient pas sûrs : il y régnait la constante menace de la violence. De la part d'un inconnu.

En définitive, elle se retrouva dans le jardin d'hiver. Elle regarda tristement au-dehors à travers les vitres colorées. Un bouquet de hauts sapins se dressait, sombre et mélancolique dans la nuit, reflétant, semblait-il, sa propre tristesse, lui rappelant qu'après ce soir, il n'y aurait plus pour elle de retour vers les montagnes silencieuses. Il n'y aurait plus Giacomo.

La nuit était tombée avec une rapidité imprévue, mais il faisait encore très chaud dans le minuscule jardin d'hiver aux plantes fleuries.

Soudain, le major Menotti surgit derrière elle et sourit à sa faible exclamation de surprise.

— Je me demandais où vous étiez passée, dit-il. Non... n'ayez pas peur. Je voulais seulement vous parler. J'en ai assez de leur partie d'échecs.

— Nous n'avons pas grand-chose à nous dire.

— Et pourtant, il n'y a pas si longtemps, vous paraissiez tout à fait satisfaite d'échanger des propos aimables, mais dépourvus d'intérêt, avec le vieux Sabastiani.

— Le docteur Sabastiani est différent.

— C'est ce que j'ai remarqué. Il est heureux d'être assis en face de vous et de contempler la manière dont vous tendez les lèvres pour boire votre café. A son âge, je pense que c'est là tout ce qu'il est capable d'admirer... tandis que moi...

Son regard, même dans la demi-lumière qui venait des fenêtres de la villa, descendait éloquemment vers le buste de la jeune fille.

Si elle rougissait, la pénombre, heureusement, dissimulait son visage. Mais elle n'avait pas peur. Une froide colère montait en elle, qu'elle réussit à maîtriser. Il le fallait. Le major Menotti ne pouvait plus être repoussé comme un freluquet vaniteux en bottes de cavalier. C'était lui qui avait prié Albert de partir. Non : il avait ordonné à Albert de quitter la villa, sur le champ. Le major était implacable, et Elizabeth sentait instinctivement que ce serait une grave erreur que de le sous-estimer. Il avait certainement gagné la confiance de *Donna* Francesca et il allait et venait dans la maison avec l'assurance d'un homme qui était là chez lui et entendait y demeurer, un homme en possession d'un plan bien établi, et dont chaque détail avait été étudié avec une précision militaire. Le major était prêt à se servir de tous, *Donna* Francesca, Carlotta, Raffaele, le Dr Sabastiani et Elizabeth, surtout Elizabeth, pour réaliser ses desseins. Il se servirait d'eux sans aucun scrupule.

— Que voulez-vous ? demanda-t-elle d'une voix unie, pour gagner du temps.

— Ce devrait être évident pour vous, Elizabetta.

Son ton regorgeait de suffisance.

— Je crois que vous savez très bien ce que je veux. Elle ? Ou les lettres de sa mère ? Ou les deux ?

— Non, je l'ignore.

— Vous... c'est vous que je veux.

— Mais c'est impossible.

Sa voix restait en équilibre précaire entre la coquetterie et une volonté inflexible.

— Vous en êtes sûre ? objecta-t-il, faussement taquin.

— Comment êtes-vous si certain que je veuille me donner à vous ? demanda la jeune fille.

— Allons, demoiselle, on peut, pour sauvegarder les apparences, dire d'une femme qu'elle est vertueuse, mais on ne peut guère accepter qu'une femme, spécialement une Anglaise, se vante constamment de sa vertu, surtout quand cette vertu est nettement sujette à caution.

Il s'amusait, sûr de lui. Il prenait son temps, s'appuyant languissamment contre un bac à fleurs, les bras croisés, la tête penchée d'un côté, contemplant l'émotion qu'il pensait avoir suscitée en elle.

— Vous oubliez que je vous ai vue, Elizabetta. Une fois avec le jeune Leonardi, et aujourd'hui avec Massingham. Hé ! hé ! vous êtes extrêmement attirée par le sexe opposé, n'est-il pas vrai ?

— Et vous êtes extrêmement engagé envers ma cousine, je crois ?

— Ah ! c'est pour cela que vous hésitez ! J'aurais dû m'en douter ! cela vous gêne ?

— Apparemment, cela ne vous gêne, vous, en aucune façon.

— Pourquoi cela me gênerait-il ? Carlotta est différente.

— Que voulez-vous dire par là ? demanda la jeune fille.

— Elle tient de sa mère. Elle est vertueuse, non

seulement par scrupule religieux, mais par habitude et par tempérament. Pour être précis, elle est assommante. Tandis que vous, Elizabeth, vous êtes d'une telle sensualité !...

Ses bras se décroisèrent avec lenteur et il s'approcha imperceptiblement.

Elle luttait pour garder une voix calme.

— N'y a-t-il pas autre chose que vous voulez de moi, major Menotti ? Une chose de plus grande valeur que les vantardises que vous vous croiriez en droit d'exprimer après une brève et sordide victoire obtenue par votre séduction ? Alors ? Dites-moi : y a-t-il autre chose ?

— Comment ?... Je ne comprends pas...

— Les lettres du général, major ! N'est-ce pas là ce que vous recherchez vraiment ?

Il en resta bouche bée, muet de surprise, ou de confusion devant ce changement soudain et imprévu d'attitude. Elizabeth, calculant à merveille son moment, en profita pour passer rapidement devant lui et gagner la porte.

— Pas si vite !

Elle s'attendait à cela. Elle évita prestement le geste rapide du bras qui, dans l'ombre, tentait de la retenir, mettant son poignet hors de portée, puis d'un mouvement souple, elle franchit la porte ouverte.

— Elizabetta... *Signorina*... Attendez, je vous en prie...

Mais les paroles murmurées n'étaient rien de plus qu'un souffle de défaite, la preuve qu'il n'osait pas élever la voix aussi près de la maison.

Elisabeth y rentra précipitamment. Elle n'éprouvait aucune impression de triomphe : il n'y avait en elle que soulagement. Ses yeux, dans son pâle petit visage las, se remplirent même de larmes, comme les yeux d'un enfant auquel on a fait peur.

Elle monta en courant et fut heureuse de ne rencontrer personne.

Sur un côté de l'étage supérieur, donnant sur les jardins, de nombreuses chambres s'alignaient, le long d'un couloir voûté, seulement éclairé par de minuscules œils-de-bœuf encastrés dans le plafond, et qui ressemblaient, le soir, à des yeux menaçants. Enfant, Elizabeth considérait l'endroit comme un sombre, effrayant tunnel.

Son seul agrément était un sol recouvert de dalles qui formaient un dessin compliqué. Le matin, quand le soleil donnait de ce côté de la villa, les verres colorés des œils-de-bœuf semaient de petits cercles teintés le carrelage, et à mesure que passaient les heures, les petits cercles avançaient lentement sur les dalles comme des pions sur un gigantesque damier.

A présent, se hâtant le long du couloir obscurci pour gagner sa chambre, Elizabeth se souvenait du jeu de marelle improvisé auquel elle s'était livrée un jour. Elle se souvenait clairement de chaque détail...

CHAPITRE VII

Elle avait onze ans. Presque douze, préférait-elle dire alors.

Elle s'amusait à sauter sur les dalles en prenant bien garde de ne pas toucher les lignes qui les séparaient. Et si elle faisait son parcours sans faute, elle méritait un prix : Giacomo mettrait ses bras autour d'elle, il l'embrasserait et lui dirait qu'elle était sa fiancée.

— Elizabetta ! Méchante, vilaine enfant ! Regarde ce que tu as fait avec tes chaussures sur ces dalles ! La poussière ! Les éraflures !

Tante Francesca était blême de fureur.

— Je suis désolée, tante Francesca...

— Je te donnerai de quoi te désoler vraiment ! Tu vas être punie ! Sais-tu comment on punit les enfants méchants dans ces montagnes, non ?

— N... non...

— On les laisse dehors la nuit pour que les bêtes sauvages, les loups viennent les manger ! Et maintenant, va dans ta chambre !

— Oui, tante Francesca.

Les lèvres tremblantes, les yeux remplis de larmes, elle avait ajouté :

— Je suis tellement désolée !... Je vous en prie ! Je ne croyais pas mal faire...

— Va dans ta chambre, vilaine fille !

Depuis ce jour, Elizabeth avait toujours pensé au couloir comme à un tunnel obscur, glacé, terrifiant.

Cette nuit-là également, elle avait eu son premier cauchemar.

Certains des cauchemars d'Elizabeth enfant étaient si effrayants qu'elle ne pouvait même pas en parler à Giacomo, le lendemain, sans pleurer. Elle lui disait qu'elle avait rêvé de griffes acérées grattant sa porte, de loups dont les dents rongeaient le battant de chêne ; alors elle voyait luire leurs petits yeux jaunes : puis les loups bondissaient sur son lit, leurs griffes lacérant la courtepointe. Et elle savait, dans ce rêve affreux, que ces mêmes loups avaient tué sa mère et que maintenant ils venaient la chercher. Dix mois plus tôt en effet Elizabeth avait suivi, avec ses oncles, le cercueil où sa mère dormait. C'était un souvenir vague, bien moins précis que l'horreur de l'affreux rêve.

Giacomo entourait alors de son bras les épaules tremblantes et la rassurait. La mère de Giacomo, de son côté, expliquait à Elizabeth que chaque fois qu'elle avait peur, ou avait un cauchemar, elle n'avait qu'à s'adresser à la Vierge. Et elle avait suivi ce conseil.

Elizabeth savait que dans la Bible, Dieu avait parlé aux gens, et qu'il leur était même apparu, mais elle ne s'attendait pas vraiment à ce qu'il répondît à sa prière par des paroles. En revanche, il lui adresserait peut-être un signe, quelque chose pour lui faire comprendre qu'il l'avait entendue.

Seulement, rien ne répondait, sinon...

Sinon, peut-être, ce léger sifflement, le signal secret employé par Giacomo pour appeler Elizabeth. En l'entendant le premier soir, elle avait couru à la fenêtre et elle avait vu le garçon à demi caché dans un massif, levant les yeux vers sa fenêtre, un doigt sur ses lèvres souriantes pour lui recommander de ne rien dire, de crainte que *Donna* Francesca ne l'entendît. Puis il avait escaladé l'arbre dont les branches étendues atteignaient presque la fenêtre d'Elizabeth. Il avait atteint une grosse branche qui s'écartait du tronc de l'arbre, et, là, il avait étendu une couverture, établissant ainsi son poste de garde, humble sentinelle armée d'un lance-pierre. Un ange gardien. Silencieusement, par gestes, il avait invité Elizabeth à approuver son installation. Pleurant de soulagement et de reconnaissance, Elizabeth avait hoché plusieurs fois la tête, en signe d'acquiescement.

Avec un sourire rassurant, il lui avait suggéré d'aller se recoucher, lui signifiant que de là il la protégerait pendant toute la nuit.

Du pouce et de l'index, il avait cueilli un baiser sur sa bouche rieuse et le lui avait envoyé. Des larmes brillant dans ses yeux, elle avait fait semblant d'attraper le baiser et de le serrer sur son cœur, puis de ses deux mains, elle avait envoyé elle aussi un baiser à Giacomo, son galant chevalier... son signe du ciel !

Giacomo avait monté ainsi la garde toutes les nuits, jusqu'à l'aube, et de cette façon les affreux cauchemars n'étaient plus jamais revenus.

Et par la suite, même en classe terminale au pensionnat, Elizabeth s'était toujours demandé si c'était

ainsi que Dieu, la Vierge Marie et l'Enfant Jésus
répondaient aux prières, non par un éclair éblouissant
et une voix céleste qui retentissait derrière les
nuages... mais en envoyant un Giacomo à ceux qui
avaient besoin de lui...

Le souvenir de cette époque envolée restait présent
à la mémoire d'Elizabeth tandis qu'elle se hâtait le
long du sombre couloir pour regagner sa chambre. Un
quart d'heure plus tard, en se préparant à se coucher,
elle pensait encore à Giacomo.

Gravement, elle libéra ses cheveux devant le
miroir de sa coiffeuse. Avec un léger tintement, les
épingles tombèrent de ses doigts incertains sur la surface laquée de la table. Pendant un moment, elle resta
immobile, perdue dans son chagrin et dans les souvenirs de cet été d'autrefois.

Les larmes ombrèrent ses yeux, mais avec détermination, elle se détourna du miroir et s'approcha de son
lit. Elle mit sa chemise de nuit et replia la couverture :
au moment où elle allait se coucher, on frappa à la
porte.

— Un instant, dit-elle. Qui est là ?

— Ce n'est que moi...

C'était Carlotta, essoufflée, confuse, Carlotta en
robe de chambre et en pantoufles, avec des papillottes
dans les cheveux, bafouillant qu'elle avait emballé la
majeure partie de ses affaires parce que sa mère voulait partir de bonne heure le lendemain matin, et que
ses objets de toilette étaient au fond d'un sac qu'on
avait déjà descendu.

— Prends ce qui t'est nécessaire sur la coiffeuse,
proposa Elizabeth.

— Oh ! merci mille fois ! Tu es si gentille, Elizabeth ! Que ferais-je sans...

Carlotta s'interrompit brusquement, les yeux fixés
sur le lit.

Là où Elizabeth avait tiré la couverture, on apercevait le coin de l'enveloppe, un triangle de gros papier,
visiblement alourdi par les feuilles qui se trouvaient à
l'intérieur.

Elizabeth comprit aussitôt la raison de l'embarras
de sa cousine.

Celle-ci semblait maintenant avoir hâte de quitter
la pièce.

— Eh bien... bonne nuit, Elizabeth...

— N'oublies-tu pas quelque chose ?

— Oh oui ! Elizabetta. Que je suis bête ! Tu es si
gentille.

Carlotta saisit un pot de crème sur la coiffeuse et
courut vers la porte. Une fraction de seconde, son
regard effleura le lit et les oreillers.

Elizabeth referma sa porte à clé. Elle regagna son
lit, les sourcils froncés d'exaspération. Pour l'amour
du ciel, qu'y avait-il donc dans les lettres de sa mère
pour les mettre, tous, dans un pareil état ? Maintenant, elles appartenaient à Elizabeth : en quoi les
concernaient-elles ?

Assise dans son lit, elle tira les lettres de l'enveloppe et se mit à les relire. Elle voulait à tout prix
découvrir un message secret, un code, quelque
chose... Son regard tomba sur le schéma qu'elle avait
déjà remarqué sur le verso d'une des pages. Instanta-
nément, tout s'expliqua. C'était cela qu'ils cherchaient ! Ce n'était pas une simple indication d'un terrain de chasse, mais quelque chose qui avait un rap-

port avec la fortune mystérieusement disparue du général.

Elle relut soigneusement les indications qui y étaient inscrites.

La cassette du pont de San Lorenzo. Chute d'eau. Nord par nord-ouest. Que cela pouvait-il bien signifier ?

Avant de remettre les lettres dans l'enveloppe, Elizabeth en préleva deux, celle qui portait le plan griffonné derrière une de ses pages, et celle qui faisait allusion à la liaison amoureuse de sa mère.

Elle remit l'enveloppe sous l'oreiller. Les deux autres lettres furent soigneusement pliées et enveloppées d'un mouchoir. Armée de ciseaux, elle décousit l'ourlet de son manteau de voyage, mit le mouchoir dans l'ourlet et le recousit.

Finalement, elle éteignit sa lampe et se recoucha. Elle était trop absorbée dans ses pensées pour remarquer la brise légère qui soufflait par la fenêtre ouverte et taquinait les rideaux de dentelle.

Elle fut réveillée par la sensation d'une présence dans la chambre. Elle ouvrit les yeux, terrifiée.

Un homme se tenait debout contre le mur, d'un côté du lit, essayant de se fondre dans l'obscurité.

Avant qu'elle eût pu crier, une main se plaqua sur sa bouche et la tira vers le centre du lit.

Elle se débattit frénétiquement, et ses ongles attaquèrent le front et la tempe de l'assaillant qui jura et la frappa encore. Mais elle n'était plus qu'un animal pris au piège et se défendait avec férocité. Soudain, l'oreiller s'abattit sur son visage : étranglée, étouffée, mais luttant toujours, elle crut qu'elle était perdue... Elle parvenait à respirer un peu cependant, mais ses forces diminuaient...

Tout à coup, elle entendit près de son oreille un léger bruit qu'elle reconnut aussitôt : le craquement du papier. Elle comprit : son adversaire, en tournant l'oreiller pour le plaquer sur son visage, avait découvert l'enveloppe !

Mais soudain, une voix féminine se fit entendre dans le couloir.

— Mademoiselle Elizabetta !... Etes-vous souffrante ? Nous avons entendu du bruit...

Une main frappait la porte avec insistance.

L'homme était si près d'elle qu'Elizabeth sentit son indécision. Miraculeusement, elle était sauvée !

— Elizabeth ?...

La voix du docteur Sabastiani sembla lui parvenir de très loin.

— Ecartez-vous ! disait le médecin aux femmes de chambre : je vais essayer d'enfoncer la porte.

Elizabeth se retrouva soudain libre de ses mouvements. Elle rejeta l'oreiller et ouvrit la bouche pour inspirer à fond l'air qui la ressuscitait. Tout son corps était douloureux après ses efforts sauvages. Elle se sentait brisée, mais le bruit de pas qui fuyaient lui donna le courage d'ouvrir les yeux.

Il était près de la fenêtre ouverte. L'obscurité était trop épaisse pour qu'elle distinguât son visage : elle ne vit que sa silhouette, un instant arrêtée sur le bord de la fenêtre, et l'enveloppe qu'il serrait entre ses dents, puis l'inconnu disparut au-dehors, sautant pour attraper une branche d'arbre. Elizabeth n'entendit plus qu'un léger froissement de feuilles.

La porte vibrait sous les coups d'épaule.

— Elizabetta... m'entendez-vous ?

— Oui... oui. Tout va bien.

Elle chercha et trouva sa robe de chambre dans le

désordre des draps et des couvertures, l'endossa, et d'un pas chancelant, alla à la porte et l'ouvrit. A bout de forces, elle tituba. Les bras du docteur Sabastiani se refermèrent sur elle.

— Oh ! ma pauvre enfant !

Son regard douloureux reflétait celui de la jeune fille.

— Storpio ? Etait-ce Storpio ?

Elizabeth haussa les épaules, non par indifférence, mais parce que la question était idiote.

Donna Francesca soumettait Elizabeth à un interrogatoire sec. Une sorte de compassion avait été exprimée une heure plus tôt, par devoir, par politesse. Mais maintenant, on en venait aux affaires sérieuses, et les silences d'Elizabeth devenaient de plus en plus irritants.

— Tu dois bien avoir une idée !

Elizabeth secoua la tête. Ses yeux n'avaient plus cette expression hagarde, mais ils étaient sombres et graves.

— Ce ne peut être que quelqu'un comme ce Storpio... un bandit ! maugréa *Donna* Francesca.

Toute la maisonnée était réunie, fait exceptionnel, dans la cuisine. « L'incident » et le fait que tous allaient quitter la villa très rapidement avaient poussé *Donna* Francesca à permettre cette audace insensée pour des personnes de son rang.

La cuisine, avec son sol carrelé de dalles rouges, ses poutrelles de chêne, sa cheminée monumentale, était certainement la pièce la plus chaude et la plus gaie de la villa. C'était aussi la plus sûre. Car ils étaient tous confrontés à une peur qui n'était pas moins réelle pour n'être pas nettement définie. Tout pouvait arriver ! Cinq jours plus tôt des bandits s'étaient introduits dans la maison, la menace à la bouche. Hier, on avait tiré des coups de feu en direction d'Elizabeth. Et quelques minutes plus tôt, quelqu'un avait grimpé dans sa chambre et l'avait attaquée.

— C'est forcément l'un de ces bandits ! accusa Raffaele.

Le Dr Sabastiani le regarda et secoua la tête. On aurait dit qu'il refusait de croire que son vieux camarade, ou l'un de ses proches, pût être coupable d'un tel crime, tout révolté contre les lois qu'il fût.

— Mais alors, qui ? insista *Donna* Francesca.

Non pas *qui* ? se disait Elizabeth, mais *pourquoi* ? Pour quelle raison s'en était-on pris à elle ? Carlotta avait vu l'enveloppe sous l'oreiller. Il était à peu près certain qu'elle en avait parlé à sa mère, et celle-ci, à son tour, pouvait avoir chargé quelqu'un de la dérober... Raffaele ?

Elizabeth observa son cousin qui versait de la crème épaisse dans une nouvelle tasse de café et se levait pour aller chercher, sur le buffet, quelque victuaille réchauffée. Non, ce ne pouvait être lui. Elizabeth sourit à demi en constatant sa démarche pesante : jamais il n'aurait pu grimper dans l'arbre, ou descendre de la fenêtre par ce chemin. L'assaillant d'Elizabeth était mince et souple, comme... comme le major Menotti ?

Oui, ce pouvait être le major. Dieu sait qu'il avait fait assez d'avances à la jeune fille ! Et pourtant...

Pourtant, depuis le début, Elizabeth avait l'impression que la séduction, pour le major Menotti, était... eh bien justement un art, un jeu, un exploit, une fierté.

Une attaque brutale n'était pas son genre. Oh non ! Il
attendait tranquillement tout ce que la vie pouvait lui
offrir : il n'allait pas s'approprier par ruse, et en se
donnant beaucoup de peine, ce que bon nombre de
femmes devaient être toutes prêtes à lui donner ! Un
homme comme lui se serait-il abaissé à cette conduite
dégradante ? Elizabeth était convaincue du contraire.
Cela ne lui ressemblait pas, surtout s'il était entré
chez elle avec la complicité de *Donna* Francesca et de
Carlotta, dans l'unique intention de prendre les lettres
sous l'oreiller de la jeune fille. Tôt ou tard, la famille
pouvait apprendre par Elizabeth ce qui s'était passé :
comment le major espérait-il se tirer d'affaire en face
de sa future belle-mère et de sa fiancée ? Il ne pouvait
s'attendre à aucune indulgence !

Soudain, une nouvelle idée fit frémir Elizabeth.
Peut-être afin d'empêcher la jeune fille de raconter sa
version de l'affaire, avait-il tout simplement eu l'intention de la tuer !

Elizabeth frissonna, le cœur glacé d'effroi.

— Vraiment, sincèrement, tu n'as pas idée de qui
c'était ? qu'a-t-il fait au juste ? Je veux dire : a-t-il pris
quelque chose ? Une chose de valeur ? insista Raffaele.

— Pas que je sache, mentit Elizabeth. Mais je ne
suis pas retournée en haut pour m'en assurer.

— Réfléchis...

Elizabeth s'impatienta :

— Ecoutez, je vous ai tout dit. Je me suis réveillée
tout à coup, il y avait un homme dans ma chambre. Je
ne sais pas qui. Il m'a attaquée.

— Je dois avouer, Elizabeth, que si tu n'avais pas
de meurtrissures sur le visage, je croirais que tu as eu

un cauchemar et que tu as tout imaginé, déclara
Donna Francesca.

— Trop manger au dîner provoque des cauchemars, dit Raffaele en bâillant.

Il jeta un regard sur la fenêtre et les premières
lueurs du jour.

— Inutile de se recoucher maintenant, gromme-
la-t-il.

— Le major Menotti devrait être bientôt de retour.

Carlotta se leva et s'approcha de la vieille femme
qui était à la fois gouvernante et cuisinière.

— Il voudra manger quelque chose de chaud en
arrivant, dit-elle.

Elle se tourna vers Elizabeth pour ajouter :

— Si seulement il parvenait à capturer cette brute
de Storpio !

— Ce serait magnifique ! approuva Elizabeth avec
un sourire ironique.

Le ton assez sec de sa voix parut exaspérer *Donna*
Francesca.

— Rappelle-toi, Elizabeth, dit-elle, que ces bandits
seraient déjà sous les verrous sans l'intervention de
ton Giacomo Leonardi.

Et dédaigneusement, elle quitta la pièce.

— Viens, Carlotta, dit-elle. Nous avons beaucoup
de choses à préparer en vue du départ.

Quelques instants plus tard, seuls Elizabeth et le
Dr Sabastiani demeurèrent dans la cuisine. Le médecin se taisait depuis si longtemps qu'Elizabeth se
demandait s'il ne dormait pas. Le pauvre homme !
Toute l'affaire semblait l'avoir bouleversé plus que
tous les autres. Même Elizabeth s'était remise à présent, et se souvenant des efforts courageux du méde-

cin pour enfoncer sa porte, elle pensa de nouveau à ce qu'elle lui devait.

Il ne dormait pas. Son regard était dissimulé par les verres épais de ses lunettes, mais ses paupières étaient grandes ouvertes. Après un moment, il tendit une main vers la cafetière et indiqua la tasse vide d'Elizabeth.

— Non, merci, dit-elle.

Il remplit sa propre tasse et fouilla dans ses poches pour en tirer finalement une pipe et une blague à tabac. Il hésita.

— Fumez, je vous en prie, dit la jeune fille. J'aime l'odeur d'une pipe. Et je me sens bien dans cette cuisine... C'est toujours la pièce la plus gaie dans une maison, vous ne trouvez pas ?

Elle tira sa chaise plus près de la cheminée, et de lui, et tendit ses mains à la chaleur des bûches rougeoyantes.

— J'aime aussi le feu et le parfum des bûches de sapin. Pas vous, docteur Sabastiani ?

— Oui... Mais je suis un vieil imbécile.

Il sourit. Elizabeth remarquait que sa voix était moins ferme qu'à l'habitude.

— Pourquoi dites-vous cela ?

Elle le regardait. Après un long silence, elle demanda :

— Comment vous sentez-vous ?

— Je vais bien, ma chère enfant. Mais j'ai tort de fumer à mon âge. Je devrais être plus raisonnable...

Il était exceptionnellement pâle. Soudain, avec une extraordinaire douceur, il tendit une main et prit celle de la jeune fille.

— Je suis navré, Elizabeth. Je me sens tellement responsable...

— Quelle idée ! Vous avez été très brave. Jamais je
ne vous remercierai assez. Vous entendre derrière la
porte a effrayé mon agresseur et il a pris la fuite.
Pourquoi vous sentiriez-vous responsable ?

— Parce que... parce que si je n'avais pas...

Il s'interrompit, regardant le feu, profitant de son
trouble pour bourrer sa pipe.

— C'est à cause de Giacomo que vous êtes restée ?
demanda-t-il à brûle-poupoint.

— Oui.

— Vous l'aimez ?

— Oui.

— Et je crois qu'il vous aime aussi.

— Qu'est-ce qui vous fait dire cela ?

Elle leva les yeux avec lenteur, pour cacher
l'espoir soudain.

— Vous souvenez-vous de toutes ces lettres que
vous lui écriviez ? lui demanda le vieux médecin.

— Oui...

— Giacomo me les apportait. Il me demandait de
les lui lire.

Giacomo lui avait donc menti ! Par orgueil sans
doute.

Le Dr Sabastiani semblait deviner ce qu'elle pensait.

— Je lui ai offert de vous écrire pour lui, ou sous
sa dictée, Elizabeth, mais il a refusé, disant qu'il vous
écrirait lui-même si je consentais à lui enseigner la
lecture et l'écriture. C'est un étrange garçon, Giacomo. Obstiné. Indépendant. Il voulait même me
payer mes leçons, bien que ni lui ni sa sa mère n'aient
beaucoup d'argent. Naturellement, je n'aurais jamais
accepté aucun salaire. Je considérais comme un honneur et un privilège de lui rendre un service.

— Alors, vous lui avez donné des leçons ?

— Pendant peu de temps, hélas !

— Pourquoi ? Cela ne l'intéressait plus ?

Le médecin secoua la tête.

— Ce n'est pas cela. En fait, il apprenait très vite et faisait d'excellents progrès. Mais au moment de la mort de sa mère, il a cessé de venir à Piazza Domenica. Il avait changé, Elizabetta. Il passait presque tout son temps dans la montagne. Seul, surtout, ou avec les vieux chasseurs. Il n'était plus question de livres ou d'orthographe. Dommage, vraiment.

Un silence tomba. Songeurs, les deux interlocuteurs contemplaient le feu.

— Je suis désolé, dit le médecin. Si je n'avais pas tant insisté, le jour de l'enterrement, je crois que vous auriez regagné l'Angleterre au lieu de venir à la villa avec nous. Rien de tout cela ne serait arrivé, aucune de ces terribles attaques. N'est-ce pas vrai ?

— Si, je pense...

Brusquement, elle prit les mains du vieil homme.

— Ne vous reprochez rien, docteur Sabastiani, dit-elle. C'est moi qui ai pris la décision. Je voulais venir.

Elle sourit, essayant soudain de le convaincre et de se convaincre elle-même de la véracité de ce qu'elle allait dire.

— Et puis, pensez donc à tout ce que je vais pouvoir raconter à mes amies anglaises !

— Je vois que vous avez l'humour de votre mère.

Il serra plus fort les mains de la jeune fille.

— Et aussi sa compassion.

— Vous avez connu ma mère, n'est-ce pas ?

— Oui, très bien...

— Je vous en prie, parlez-moi d'elle.

Il sourit tristement.

— Que puis-je vous dire. Elizabetta ?

— Tout.

— Tout ?

Il tira pensivement sur la pipe qu'il n'avait pas allumée.

— Eh bien... pour commencer, votre mère était belle, Elizabetta. Très belle.

Une petite étincelle brilla dans ses yeux.

— Et elle était si gaie, et surtout si bonne !

— Saviez-vous qu'elle était infirmière dans l'armée de Crimée ?

Le médecin hocha la tête.

— C'est là qu'elle a rencontré...

— Le général, je sais.

— Manfredo n'était que capitaine à cette époque-là, l'un des quinze cents Italiens envoyés par Cavour pour soutenir les Alliés. Il a été blessé à Tchernaya en se battant contre les Russes...

— Et c'est à l'hôpital qu'ils ont fait connaissance...

— Oui. Et se sont épris l'un de l'autre, ou tout au moins se le sont imaginé. Quand on est jeune, Elizabetta, il est parfois difficile de reconnaître le véritable amour. Quoi qu'il en fût, ils se sont mariés.

— Trop vite, ajouta Elizabeth, pour avoir ensuite tout le temps de le regretter.

— Pourquoi dites-vous cela ?

— Je ne sais plus.

— Parce qu'ils n'ont pas été heureux, je le sais. Et c'est vrai, n'est-ce pas ?

L'expression du médecin refléta une profonde et affectueuse compassion, mais il ne répondit pas.

— A-t-elle été terriblement malheureuse ?

— Pas au début. Voyez-vous, Elizabetta, il y avait souvent des accalmies pendant les diverses campa-

gnes, et la vie devenait alors plus joyeuse : on allait à
l'opéra, on faisait des séjours dans des maisons de
campagne. La saison des villégiatures était toujours
très gaie et je crois qu'il s'y ajoutait la nouveauté
d'être une jeune épouse dans un pays étranger. Votre
mère aimait beaucoup l'Italie. Je crois que tout cela
lui a permis d'être heureuse pendant un certain
temps.

— Que s'est-il passé ensuite ?

— Beaucoup de choses... mais, ma chère petite, je
crois qu'il vaut mieux ne pas trop vous poser de questions sur le passé.

— Je vous en prie, je veux savoir. Il *faut* que je
sache. Qu'est-il arrivé entre eux ?

Le médecin s'écarta un peu, se pencha, et, prenant
le tisonnier, dessina dans les cendres des petites
lignes tremblées.

Puis il reprit lentement :

— Je pense que Manfredo n'a plus songé à faire
des efforts...

» Il trouvait tout naturel qu'elle soit là, comme les
charbons rouges sous la cendre, auxquels on ne pense
pas, mais qui donnent leur chaleur jusqu'au moment
où ils s'éteignent parce qu'on les néglige... quelque
chose comme cela. Et puis, Manfredo était ambitieux.
Pauvre Manfredo... il prétendait avoir du sang prin-
cier dans les veines, estimant que ce sang avait certains droits...

— Des droits seigneuriaux aussi, je pense, en ce
qui concernait les jeunes paysannes ?

— Oui, dans un sens...

— Il a dû beaucoup faire souffrir ma mère ?

De nouveau, le Dr Sabastiani donna par son silence
une réponse affirmative.

— Vous étiez le médecin de la famille et l'ami du général ?

— Pendant quelque temps, oui.

— Etiez-vous présent quand le mariage s'est rompu ?

— Non. A ce moment-là, j'étais en prison...

Il regardait le feu. Ses yeux semblèrent changer de couleur, éclairés comme d'une lumière intérieure... ou peut-être n'était-ce que l'éclat du feu qui se reflétait sur ses traits. Quand le médecin parla, ce fut d'une voix basse et douce :

— Votre mère était ravissante, Elizabetta, mais elle avait le sourire paisible et doucement prophétique de celle qui est au-dessus de la souffrance, de celle qui ne deviendra pas vieille...

Donna Francesca et Carlotta firent irruption dans la cuisine.

— Docteur, pouvez-vous venir, s'il vous plaît ? Le major est revenu... sans Storpio, malheureusement. Ils n'ont trouvé aucune trace, rien...

— Mais le major est blessé !

Carlotta semblait très inquiète.

— Oh ! Venez ! Venez vite !

— Je t'en prie, Carlotta ! interrompit sa mère.

Au médecin, elle expliqua avec un léger sourire :

— Il n'y a rien de sérieux, Pietro. Carlotta a tendance à exagérer. Le major Menotti a fait une chute, il a quelques contusions et quelques écorchures. Il serait peut-être bon que vous l'examiniez quand ce ne serait que pour tranquilliser ma fille.

— Certainement.

Le Dr Sabastiani se leva vivement. Avant de suivre les deux femmes, il se tourna vers Elizabeth et demanda :

— Serez-vous à l'hôtel de Citta Capragnano ?

— Oui, j'y passerai un jour ou deux.

— Puis-je venir vous y voir ?

— Oui, je vous en prie. J'en serai très heureuse.

— Peut-être pourrons-nous continuer cette conversation ?

— Oui... Oh oui !

Instinctivement, Elizabeth saisit la main du médecin.

Carlotta reparut à la porte.

— S'il vous plaît. Le major saigne ! Je vous en supplie !

Quelques instants plus tard, Elizabeth put constater l'étendue des blessures du major Menotti, par la porte du salon restée grande ouverte.

Elle l'entrevit, debout, prenant une attitude héroïque et une pose avantageuse devant *Donna* Francesca et une Carlotta éperdue d'admiration. La jaquette de chasse du major était maculée de poussière et sa culotte de cheval était déchirée à un genou.

Mais la seule blessure visible affectait sa joue : trois écorchures parallèles.

Des épines dans la montagne, ou les ongles d'Elizabeth ?

CHAPITRE VIII

Citta Capragnano n'était guère à la hauteur de son nom. Ce n'était pas une cité, mais plutôt une petite ville peuplée d'environ quatre mille habitants.

L'hôtel se dressait juste en face de la gare. Il faisait partie d'une rangée de grandes maisons situées du côté de la vallée, dans la partie la plus récente de la ville. C'était une maison de quatre étages, dotée d'un portique à colonnes. Derrière l'hôtel, le coucher de soleil répandait une lueur rouge sur les pavés de la rue.

Elizabeth descendit de la voiture qui l'avait amenée de Piazza Domenica, et entra dans l'hôtel.

A la réception, elle demanda à voir Albert Massingham.

L'employé leva les yeux, sourit, hocha la tête, et comme par enchantement, un chasseur parut à côté de la jeune fille, vêtu d'un rutilant uniforme, et la guida vers un petit salon à côté de l'entrée.

Albert l'attendait devant une table couverte d'assiettes, de verres, de biscuits, de fleurs, et autres objets.

— Ah ! Elizabeth ! Je suis si content que vous soyez venue !

Il se leva et lui avança un fauteuil.

— Pensiez-vous que je ne viendrais pas ?

— J'avais peur que vous ne puissiez le faire. Evidemment, vous avez reçu mon message...

— Oui.

— Parfait. Il m'a été impossible de vous voir avant d'être invité à plier bagage ! Une situation diablement gênante, vraiment ! Le major, vous savez... ce prétentieux ! Il m'a donné l'ordre de partir sur-le-champ ! Enfin, vous êtes là, c'est l'essentiel. J'en suis si content, Elizabeth ! Thé ou café ?

— Thé, s'il vous plaît.

— Très bien. Un souvenir du pays, n'est-ce pas ? Pas de scones, malheureusement. Ils n'ont pas l'air d'en avoir.

— Cela ne fait rien.

Elizabeth sourit.

Albert fit signe à un serveur.

— Comment allez-vous, Elizabeth ? Tout s'est-il bien passé après mon départ ?

— Hum... plus ou moins.

Elle prenait un ton volontairement désinvolte, évitant par délicatesse toute référence à sa récente épreuve.

— Et vous, Albert ? Vous disiez que vous aviez découvert une chose importante ?

— Assez importante, oui.

Il sourit, manifestement fier de ses talents de détective.

— Je ne suis pas resté oisif depuis mon départ de la villa, expliqua-t-il. J'ai passé tout mon temps ici à la bibliothèque. J'ai fouillé dans les archives locales et j'ai inondé un collègue de l'Ambassade, à Rome de multiples télégrammes. J'ai fini par réunir un bon nombre de pièces de notre puzzle.

— *Notre* puzzle ?

— Ecoutez, Elizabeth, je crois que nous avons conclu, avec assez de certitude, que la fortune du général a été gagnée dans des circonstances suspectes. Peutêtre mêmes illégales. Est-ce entendu ?

— Entendu.

— Et que, d'une manière ou d'une autre, notre vieil ami Ferrucio y a été mêlé ?

— Oui, cela semble logique, en effet.

— Et qu'il s'est livré à ce qu'on pourrait appeler un double jeu ?

— Je ne suis guère au courant de ce genre de chose, mais je crois comprendre ce que vous voulez dire.

— Eh bien, Elizabeth... j'ai tout consigné ici !

Albert brandit fièrement un carnet de cuir noir.

— Tout. Les faits, et les preuves !

Elizabeth leva des yeux brillants de curiosité.

— Je vous écoute...

— Comme vous le savez, le général Della Quercia dirigeait un contingent de patriotes chargés de lutter contre les forces pontificales qui tentaient de reprendre Pérouse libérée durant l'été 59. Sous le commandement du colonel Schmidt, celles-ci quittèrent Rome le 14 juin. Au soir du 19, ils atteignirent Foligno. Agissant de sa propre initiative, le général Della Quercia, avec le vétéran des francs-tireurs, Ferrucio Lupo, guide et commandant en second, quitta Pérouse pendant la nuit pour parcourir la campagne entre Pérouse et Foligno, dans l'intention de tendre une embuscade aux troupes papales qui avançaient. Ils s'établirent en un lieu nommé San Lorenzo, où la route franchit la rivière sur un pont de pierre. Leur idée était de faire sauter le pont. En fait, ils ne le détruisirent pas et n'attaquèrent pas la colonne du colonel Schmidt : tout à fait par hasard, ils rencontrèrent un petit détachement de carabiniers pontificaux qui escortait un chariot de munitions. Ce détachement, semble-t-il, s'était perdu au cours de la nuit. Il fut rapidement maîtrisé par les hommes du général Della Quercia, et on s'aperçut que le chariot contenait, outre les munitions, un coffre rempli de pièces d'or destinées à payer le salaire des mercenaires suisses à la solde de Schmidt, et des objets d'or provenant d'un monastère proche qu'on emportait, pour les mettre en sûreté, hors de la zone des combats. En tout cas, une chose est certaine : le général et Ferrucio se trouvèrent tout à coup en possession d'un coffre plein d'or. Nous en arrivons à la partie intéressante du récit...

Albert leva les yeux, essayant de cacher sa fierté après avoir fait une telle découverte.

— Après cette petite escarmouche, le général Della Quercia décida de réunir sur place une cour martiale sommaire, là, au plus noir de la nuit, dans le hameau de San Lorenzo. L'accusé ? Nul autre que son second, Ferrucio Lupo. L'accusation ? Insubordination, lâcheté, pillage. Pillage, oui, Elizabeth ! Vol ! Et le verdict ? La mort par les armes ! Cependant, au cours de cette même nuit, les troupes pontificales de Schmidt par une marche forcée atteignirent Pérouse. Il y eut de terribles batailles de rues, et, finalement, les forces papales reprirent la ville. Ferrucio Lupo, quant à lui profita de la confusion générale pour s'échapper.

— Sans l'or ?

— Naturellement puisque le général le détenait.

Souvenez-vous du soir où Ferrucio s'est introduit dans la villa et a menacé de vous kidnapper pour obtenir une rançon en échange de votre personne, il a parlé à maintes reprises de sa part du butin et de la trahison du général...

— Oui, je m'en souviens...

— Et je crois que de là est venue la réputation du général qu'on disait implacable dans sa répression du banditisme. Toutes ces années qu'il a passées à rechercher et à exterminer les brigands au sud de l'Italie étaient en réalité destinées à retrouver son ancien camarade, Ferrucio Lupo, et à le faire taire. Définitivement.

Elizabeth hocha la tête.

— Vous pensez qu'il agissait par cupidité et par crainte de voir révéler sa conduite ?

— Par jalousie aussi.

— Par jalousie ? s'étonna Elizabeth.

— Voyez-vous, Elizabeth, j'ai l'impression qu'avant l'incident que je viens de vous raconter, le général et Ferrucio s'étaient querellés. Au sujet d'une femme...

Le visage d'Albert se rembrunit et il garda quelques instants un silence gêné.

— Il se pourrait, dit-il enfin, que la femme en question ait été votre mère.

— Comment ?

Cette fois, elle était surprise. Choquée.

— Jamais ! dit-elle. C'est impossible.

Albert leva les épaules. Le geste signifiait que rien n'est impossible.

— Non, Albert, pas cela.

Elizabeth secouait la tête avec indignation. Pourtant, elle frissonnait intérieurement en se rappelant

les paroles de Ferrucio : « J'ai connu votre mère,
chère Elizabetta. Une femme merveilleuse, bien trop
bonne pour ce traître. J'aurais pu lui dire que leur
amour tournerait à l'aigre... »

Elizabeth baissa les yeux. Elle ne pouvait plus
regarder Albert. Il lisait dans sa pensée : lui aussi se
souvenait de ce qu'avait dit Ferrucio.

Etait-il concevable que Ferrucio eût été l'amant de
sa mère ?

L'expression d'Albert lui disait qu'une telle éventualité ne pouvait être rejetée d'emblée. Tout était
possible.

Un instant ce matin, dans la cuisine de la villa, Elizabeth avait caressé l'espoir que peut-être le docteur
Sabastiani avait été le grand amour de sa mère. Le
médecin, ou un inconnu, mais un homme doux et bon
comme lui. Mais cette nouvelle hypothèse réduisait
cet espoir à néant. De nouveau, Elizabeth se désespé-
rait devant le mystère de son origine.

— Je suis désolé, Elizabeth, mais c'est tout de
même possible. Et vous ne pourrez jamais avoir de
certitude si vous ne trouvez pas ces papiers.

— Quels papiers ?

— Des papiers personnels relatant cette période
de la vie du général. Des lettres. Un agenda... un
compte rendu de l'escarmouche de San Lorenzo. Il
semble que ces papiers aient disparu avec le coffre.
Ou la caisse...

— La caisse ?

— La caisse qui contenait l'or pontifical. N'avez-
vous rien entendu de ce que je vous ai dit ? L'embuscade au pont de San Lorenzo ! Bonté divine,
Elizabeth !...

Une caisse. Le pont San Lorenzo. Le plan !

— Qu'y a-t-il ? Ai-je dit quelque chose qui vous ait offensée ? Je regrette, Elizabeth.

— Non, Albert, ce n'est pas cela... vous ne m'avez pas offensée. Je réfléchissais. *Le pont San Lorenzo.* Ces mots figuraient sur le plan.

— Quel plan ?

La jeune fille s'expliqua. L'Anglais l'écoutait avec une attention passionnée. Pour lui, les pièces du puzzle trouvaient enfin leur place. Elizabeth n'était sûre de rien, mais quand elle finit de parler, il siffla entre ses dents.

— C'est ça. C'est exactement ça. Vous avez réussi, Elizabeth ! Vous avez réussi, bon sang !

Albert jubilait. Quant à Elizabeth, elle était un peu éberluée.

— Je ne sais pas si je partage votre enthousiasme, Albert, dit-elle. Qu'ai-je donc fait ? C'est bien mysté-rieux !

— Bien sûr, vous ne pouvez pas tout comprendre. Non, comment le pourriez-vous ? Je vais vous expli-quer.

Il poussa sa tasse qui le gênait et se pencha au-dessus de la table.

— Quelqu'un, probablement, plus d'une personne, savait que ce plan existait quelque part.

— *Donna* Francesca et le major ! Ils ont cherché dans la bibliothèque !

— Carlotta et Raffaele aussi, ne l'oubliez pas. Peut-être même le docteur Sabastiani.

Elizabeth resta muette. Elle refusait de croire que le vieux médecin fût mêlé à cette histoire.

— Et c'est la raison évidente pour laquelle Raf-faele m'a interdit de travailler dans la bibliothèque.

Très excité, Albert poursuivit :

— Ils pensaient d'abord que le plan se trouvait peut-être là, et comme ils ne le trouvaient pas, ils ont supposé qu'il était dans les lettres que vous destinait le général.

— Oui, mais...

Il leva une main pour la faire taire.

— Je vous en prie, laissez-moi finir. Il est même possible que l'un deux, à un moment quelconque, ait aperçu le plan sur l'envers d'une lettre... juste entrevu, trop peu de temps pour se souvenir des détails... assez pour apprendre que le plan existait. Cette même personne pouvait savoir que les lettres vous seraient remises en cas de décès du général. Elle était peut-être au courant des grandes lignes du testament. Alors réfléchissez : si vous étiez restée en Angleterre et que le testament avait été lu hors de votre présence, que serait-il arrivé ?

— Je ne sais pas.

— On vous aurait adressé l'enveloppe contenant ces lettres en Angleterre:

— Et alors ?

— Alors, il aurait été infiniment plus difficile pour notre mystérieux « inconnu » de mettre la main sur les lettres, non ?

— Oui, bien sûr...

— En revanche, si on pouvait vous faire venir en Italie à temps pour assister à la lecture du testament... avant la mort du général, les lettres vous seraient remises en mains propres. Exact ?

— Oui, évidemment.

— De ce fait, il devenait beaucoup plus facile de vous dérober ces missives, là, sur place.

— Oui, je vois.

Elle voyait autre chose aussi.

— Ainsi, l'expéditeur du télégramme doit être celui qui...

— Tout juste !

Albert frappa la table du plat de la main, faisant tinter les cuillers dans les soucoupes.

— Venez ! dit-il. Je crois savoir avec certitude qui est notre mystérieux « inconnu » !

— Qui est-ce ?

Mais pour toute réponse, Albert prit la jeune fille par la main et l'entraîna rapidement hors du petit salon.

Sérieux, décidé, triomphant, Albert traversa le vestibule de l'hôtel et sortit dans la rue.

— Albert, je vous en prie ! Où allons-nous ?

— Vous le saurez dans un instant.

Ils traversèrent la rue et entrèrent dans la gare. Albert alla droit au bureau du télégraphe. Elizabeth, maintenant, devinait son intention et se sentait terriblement curieuse.

L'Anglais se pencha au-dessus du comptoir.

— Excusez-moi, monsieur...

— Un moment, grommela l'opérateur sans lever les yeux de la machine.

Les doigts d'Albert tambourinèrent impatiemment sur le dessus du comptoir. Il se tourna vers Elizabeth en levant les yeux au ciel. Elle sourit, mais garda le silence.

Enfin, l'employé leva la tête.

— Oui, monsieur ?

— Ah ! mon brave homme ! Vous me reconnaissez ?

— Oui...

— Dans ce cas, voulez-vous être assez aimable

pour dire à cette jeune dame ce que vous m'avez dit hier ?

— Pardonnez-moi, monsieur, mais je ne suis pas censé donner ce genre de renseignement...

Albert lui coupa la parole par un signe de tête, et tira de sa poche une pièce d'or qu'il posa sur le comptoir à côté d'une petite pile d'imprimés.

— Ah ! oui, monsieur... je crois me rappeler en effet...

L'homme souriait, sans regarder la pièce, mais ses doigts, adroitement, poussèrent un papier qui la recouvrit.

— Vous m'avez parlé d'un télégramme expédié d'ici à une dame en Angleterre. Il y a une semaine environ.

— C'est cela.

— Et vous voulez savoir qui l'a envoyé ?

— Oui, dit Elizabeth en se penchant en avant.

— C'est que... Nous envoyons beaucoup de télégrammes, *Signorina*, et nous en recevons beaucoup. Il est difficile de se souvenir de chaque personne qui désire faire parvenir un message...

Une autre pièce d'or émergea de la poche d'Albert et fut posée sur le comptoir. Un autre imprimé la dissimula.

— Mais ce message-là, je m'en souviens très bien. Il n'en part pas si souvent pour l'Angleterre, vous savez, dit l'employé.

— Et vous vous rappelez qui l'a envoyé ?

— Certainement. Il vient tous les mois chercher une provision de médicaments. C'est le médecin de là-bas : Sabastiani, je crois que c'est son nom.

Le Dr Sabastiani !

Mais pourquoi ? Pour le plan ? Pour l'or du général ?

Albert remercia l'opérateur, prit le bras d'Elizabeth et s'éloigna du comptoir en murmurant :

— Satisfaite ?

— Mais pourquoi ?

Albert haussa les épaules.

— D'abord, nous savons que le médecin est très ami avec Ferrucio...

— Peut-être... Mais je refuse de croire que le docteur Sabastiani ait délibérément voulu me faire du mal. Je crois à son amitié. Ce matin encore, il parlait de venir me voir ici avant que je ne reparte pour l'Angleterre !

— Vous voir ici ? A l'hôtel ?

— Oui.

Albert fronça les sourcils.

— Qu'y a-t-il de mal à cela ? demanda la jeune fille.

— Vous avez toujours ce plan ?

— Bien sûr.

— Je crois que vous feriez mieux de me le confier.

— Pourquoi ?

L'Anglais parut agacé.

— N'est-ce pas évident ? Ils le veulent... *Donna* Francesca et le major d'un côté, le docteur Sabastiani et Ferrucio de l'autre. Ecoutez, Elizabeth, avec ce plan, je pourrai aller à cheval me promener dans la montagne cette nuit et chercher. Avec un peu de chance, je découvrirais peut-être l'emplacement de ce coffre... ou de cette caisse. Si l'or est à l'intérieur, je suppose qu'il appartient aux autorités, mais ce sera à vous d'en décider. Si les papiers du général s'y trouvent aussi, comme je le pense, je crois que sans doute possible ils vous reviendront. Et je suis convaincu que ces papiers expliqueraient une fois pour toutes qui était exactement votre père. De toute façon, Elizabeth, nous aurions trouvé la dernière pièce de notre puzzle !

— Alors, je viens avec vous.

Il secoua la tête.

— Trop dangereux.

— Pas plus dangereux qu'habiter à la villa.

— Ferrucio et Storpio peuvent être dans la montagne !

— Cela m'est égal. J'en prends le risque.

— Non, Elizabeth. Que diable ! je ne peux pas vous laisser faire ça !

— Le plan est à moi.

La jeune fille releva le menton. Elle était décidée.

— Albert... il faut que je sache. Tout !

Il jeta sur elle un long regard dubitatif, puis il sourit.

— Après tout, pourquoi pas ? Vous avez du cran et vous êtes anglaise. Alors pourquoi pas ? Montez-vous à cheval ?

— Suffisamment bien, oui. Et je peux acheter ici des bottes.

— Très bien. Et j'ai mon vieux revolver de l'armée. Eh bien oui, bon sang ! Nous allons montrer à ces étrangers de quoi nous sommes capables !

Soudain, Albert était pris d'une ardeur juvénile, échafaudant des plans de campagne, énumérant les objets à emporter : équipement, provisions...

Ils retraversèrent la rue en direction de l'hôtel, trop absorbés dans leur projet pour remarquer une silhouette cependant familière, à la terrasse d'un des cafés.

Le Dr Sabastiani les observa par-dessus le bord de son journal largement déployé. Quand ils furent ren-

trés à l'hôtel, il replia le journal avec soin, se leva et
entra dans la gare. Il alla directement au bureau du
télégraphe.

— Bonsoir, Alfredo.

— Bonsoir, docteur.

— Ce jeune couple qui était là voici un instant...
l'Anglais et la jeune fille ?

Déjà, l'employé tripotait l'imprimé au-dessus de la
pile, se préparant à le faire glisser sur une ou deux
autres pièces d'or.

*
* *

Ils se retrouvèrent à minuit dix, à l'endroit
convenu. Le lieu du rendez-vous avait été fixé au nord
de la ville près d'un pont.

Albert attendait dans l'ombre, avec deux chevaux.
Il traversa le pont pour rejoindre Elizabeth qui arri-
vait en voiture. Le cocher corpulent, à la moustache
noire, descendit pour ouvrir la portière.

— Vous ne voulez pas que je vous attende ?
demanda-t-il à Elizabeth. Vous êtes sûre ?

— Sûre. Merci.

— Bien.

Le sourire de l'homme se changea en une grimace
approbatrice quand il aperçut Albert et les chevaux.

— Amusez-vous bien, *Signorina*.

C'était parfait, pensa la jeune fille, que le cocher
crût à un rendez-vous d'amour, ou à un enlèvement.
Ce genre d'entreprise ne devait pas être considérée
avec sévérité ou étonnement dans ce pays. Le cocher
retira son chapeau et fit à la jeune fille un salut magnifique en lui souhaitant une bonne nuit.

Albert demeura prudemment dans l'ombre des arbres pendant que le cocher remontait sur son siège et reprenait les guides. Quand la voiture repartit sur la route, il s'avança.

— Vous avez réussi à arriver à l'heure ! Vous avez le plan ?

— Naturellement. Il est indispensable à l'expédition, je crois ?

— Evidemment. Je suis bête d'avoir posé la question. Désolé de toute cette mise en scène de cape et d'épée, Elizabeth, mais on ne saurait être trop prudent.

Dans l'obscurité, il ne pouvait la voir sourire. Il n'était pas désolé le moins du monde et elle le savait très bien, il était ravi et il jouait son rôle avec enthousiasme. Il s'était habillé pour la circonstance : un grand chapeau de paysan à large bord cachait ses traits déjà dissimulés par l'ombre de la nuit, un poncho vague retombait presque jusqu'à ses bottes ternes et poussiéreuses.

— Nous avons l'air d'être invités à un bal costumé ! commenta Elizabeth en riant tout bas.

Elle prit un pli de sa lourde jupe de cavalière et tourbillonna.

— Comment me trouvez-vous ?

— Elizabeth, ce n'est pas un jeu ! C'est très, très sérieux.

— Pardon.

Il lui prit son sac et le fixa à la selle d'un des chevaux. Elizabeth remarqua que les chevaux ressemblaient à ceux des carabiniers, et elle devina qu'Albert les avait choisis avec sagacité en vue de leur marche dans la montagne.

— Pourrais-je jeter un coup d'œil sur ce plan, s'il vous plaît ?

La jeune fille retira la feuille repliée de son gant et la lui tendit. Sans un mot, il s'approcha du parapet du pont et s'accroupit pour se mettre à l'abri du vent. Une allumette flamba et fut prestement protégée par la main de l'Anglais. A sa brève lueur, Elizabeth vit le plan étalé sur le sol, maintenu en place par quatre pierres. L'allumette s'éteignit : une autre s'alluma et cette fois, la jeune fille distingua une boussole à côté du plan. Elle s'approcha.

— C'est bien ce que je pensais, dit Albert en mettant dans sa poche le plan et la boussole, sous le poncho.

Elizabeth aperçut un revolver dans son étui par la fente du vêtement.

— Je ne m'étais pas trompé dans mes hypothèses, reprit le jeune homme. Si nous marchons toute la nuit, nous devrions atteindre notre but au lever du soleil, ce qui nous donne toute la matinée pour chercher. Avec de la chance, nous serons de retour la nuit prochaine.

— Et si nous ne trouvons rien ?

— Nous trouverons. Il le faut.

Il était farouchement décidé.

— Venez : inutile de rester ici.

Son intense détermination surprit la jeune fille, mais elle ne répondit que par un haussement d'épaules. Le geste se perdit dans l'obscurité, et elle suivit son compagnon jusqu'aux chevaux. Il lui tint l'étrier et l'aida à se mettre en selle. Elle prit les rênes, et le cheval, refroidi par une longue attente, partit au trot dès qu'elle effleura ses flancs de ses talons.

CHAPITRE IX

A l'aube le sommet du *Monte* Neve apparut enfin.

— Nous ne devons plus être bien loin maintenant, dit Albert.

Il se retourna, radieux sous le masque gris de la fatigue.

— Nous nous reposerons dans un instant. Dès que nous trouverons de l'eau. Que préférez-vous ? Thé ou café ?

— Du thé serait merveilleux, dit Elizabeth.

Elle commençait à se sentir mieux, devinant que le plus dur était passé, contente à l'idée de se reposer en buvant du thé chaud. Le terrain semblait leur être plus favorable, il s'aplanissait un peu et pendant un quart d'heure, la marche fut plus facile.

Très vite, ils atteignirent un endroit couvert d'herbe. Apparaissant tout à coup au milieu des rochers et des buissons desséchés, ce petit coin de verdure, annonçant la présence d'une source, fut le bienvenu.

Albert dirigea les chevaux vers un bouquet de jeunes arbres : le bruit de l'eau leur parvint. Derrière les arbres, un torrent coulait tumultueusement dans une faille.

Albert dessella les chevaux, et les lâcha pour leur permettre de brouter l'herbe sur le bord du torrent. Il prit alors une bêche pliante et creusa un trou dans le sol. Elizabeth s'en fut dans la clairière et quand elle revint un peu plus tard avec une brassée de brindilles et de bois sec, le feu flambait déjà dans le trou peu profond creusé par son compagnon. Il avait de plus placé dessus deux pierres plates, suffisamment rapprochées pour servir de base à une bouilloire de campagne, remplie de l'eau du torrent.

Côte à côte, ils déjeunèrent de sandwiches, de pommes et de thé chaud et sucré. Quand il eut fini, l'Anglais alluma un cigare au feu et se mit à fumer, assis, l'épaule appuyée contre une des selles. Il était étrangement silencieux.

Sous le vaste bord de son chapeau, ses yeux étaient à demi fermés, ses traits pâles et creusés. Soudain, en le regardant plus attentivement, elle comprit ce qui le changeait : il s'était rasé la barbe, détail qu'elle n'avait pu remarquer en raison de l'obscurité nocturne.

Et voilà qu'en observant l'expression durcie de sa bouche et de sa mâchoire, Elizabeth constatait qu'elle s'était trompée en croyant qu'Albert portait la barbe pour se donner l'air plus mûr. Privée des moustaches tombantes, la bouche était moins sensible, moins généreuse, plus mince, plus ferme, plus résolue. Rasé, Albert était un homme. Avec sa barbe, paradoxalement, il avait plutôt l'air d'un adolescent.

Pendant quelques instants, Elizabeth se sentit en présence d'un étranger. Elle se leva et alla laver la vaisselle de leur déjeuner dans le torrent. Hors de l'abri protecteur de la paroi rocheuse, elle frissonna au vent qui descendait du lointain sommet du *Monte* Neve.

En revenant à la clairière, elle découvrit qu'Albert ne dormait nullement. A genoux sur le sol, il dépliait soigneusement une carte qu'il étala devant lui en la maintenant en place par des cailloux. Celle-ci ressemblait à ces cartes d'état-major qu'Elizabeth avait parfois étudiées dans la bibliothèque du pensionnat.

Albert examina la carte, la comparant au plan grossièrement établi par le général. Une ou deux fois, il se leva et alla regarder une cime éloignée. Elizabeth se sentait terriblement inutile, ses timbales à la main.

— Puis-je vous aider en quoi que ce soit ?

Il secoua la tête et se remit à étudier la carte. Elizabeth contempla leur petit camp, cherchant à s'occuper.

— Il faut avouer, Albert, dit-elle, que vous avez remarquablement préparé cette petite expédition !

— Je suis un ancien officier de l'armée britannique, ne l'oubliez pas.

— Oui, c'est vrai.

Elle s'assit en face de lui, désireuse de parler, de garder le contact entre eux.

— Tout cela est passionnant ! dit-elle. Peut-être pourriez-vous m'indiquer sur cette carte l'endroit où nous sommes ? La géographie n'a jamais été mon fort

— Nous sommes là.

Le doigt de l'Anglais se posa sur un point de la carte.

Pour Elizabeth, la carte était dans le mauvais sens et comme Albert retira son doigt tout de suite, il lui était difficile de localiser leur position.

— Hum... je vois... dit-elle.

Après un long silence, elle demanda.

— Pourquoi avez-vous quitté l'armée ?... Est-ce parce que vous avez préféré la diplomatie ?

Comme il ne répondait pas, elle ajouta :

— Non, dit le jeune homme. C'est à peu près la même chose.

— Comment cela ?

— Sans argent, sans famille, sans influence et sans relations politiques, obtenir de l'avancement d'un côté ou de l'autre est à peu près impossible.

Une ombre d'amertume se glissait dans sa voix.

Il retira les pierres qui maintenaient la carte en place et se mit à la replier.

— C'est bien ça le cours d'eau, dit-il. J'en suis à peu près certain. Si nous le suivons jusqu'à la prochaine gorge, nous trouverons notre chute d'eau.

— Combien de temps cela prendra-t-il ?

— Une heure. Deux au plus, je pense.

— Bien.

En fait, il leur fallut trois heures. L'ascension était plus dure qu'Albert ne s'y attendait. Le soleil montait en même temps qu'eux, mais ils ne sentaient guère sa chaleur à cause du vent qui soufflait de la montagne enneigée. Ils suivirent les méandres du torrent sur deux kilomètres environ, puis furent obligés de s'en éloigner pour prendre la direction de l'ouest, mais Albert perdait rarement de vue le petit ruban liquide qui coulait, loin en dessous d'eux.

Il devait être à peu près dix heures du matin, pensa Elizabeth, quand ils arrivèrent à destination. Ils venaient de retrouver le torrent, en un point où il parut venir à leur rencontre, ou sortir d'une faille étroite, roulant, tournoyant avec violence entre les rochers.

— Regardez ! Là-haut, Elizabeth ! Voilà la cascade ! Nous y sommes !

Dans son enthousiasme, il passa devant la jeune

fille, éperonnant sans pitié son pauvre cheval : bientôt, il fut hors de vue.

Elle le suivit à grand-peine.

— Qu'attendez-vous ? cria-t-il.

Sans attendre de réponse, sans même l'aider à mettre pied à terre, il continua à courir frénétiquement d'une pierre à l'autre.

— Venez ! dit-il. Aidez-moi.

— Qu'est-ce que vous faites ?

— Je cherche, bonté divine ! une marque... un signe... Cherchez aussi. Voyez si vous ne distinguez pas quelque chose. Une disposition bizarre de plusieurs cailloux... une trace faite au couteau sur un de ces arbres... un dessin gravé sur un rocher... Quelque chose, Elizabeth... Il doit y avoir une indication, bon sang !

Il ne perdit pas plus de temps en explications et il se remit à marcher le long du torrent, allant et venant, la bêche pliante dans une main, la hache dans l'autre, son regard parcourant les rochers. Comme sa barbe, sa juvénile insouciance avait disparu. A présent, il était anxieux et impatient.

Elizabeth resta en selle, droite et immobile. Elle ne regardait plus son compagnon, mais fixait les arbres de l'autre côté du torrent. Le soleil éclatant brillait par intermittence entre les hautes branches des sapins. Un coup de vent courba la cime des grands sapins et à ce moment, Elizabeth vit ce qu'ils cherchaient.

— Là-haut, dit-elle. Regardez !

— Où ?

Il suivit du regard le geste du bras de la jeune fille et gronda soudain :

— Dieu du ciel ! Une statue !

Une vierge se dressait dans une fissure du granit, haute d'un mètre environ, de l'autre côté du cours d'eau.

— Le général l'a fait ériger là il y a environ trois ans, dit Elizabeth.

— Comment le savez-vous ?
— Giacomo me l'a dit.
— Mais pourquoi ?

La tête levée vers le ciel, il posait la question avec une violence indignée.

— Le général avait fait un vœu.

Mais avant qu'elle eût pu lui parler de l'accident du général, de cette nuit d'épouvante et de souffrance, au cours de laquelle, à demi fou de douleur, il avait prié Dieu et la vierge de le sauver d'une mort glacée sur les pentes du *Monte* Neve, avant que la jeune fille eût même pu discerner ses propres réactions devant sa découverte, Albert traversait déjà le torrent, choisissant le chemin le plus court en sautant de pierre en pierre, juste au sommet de la chute d'eau qui bouillonnait à ses pieds.

Elizabeth se refusa à prendre le même chemin : elle monta le long du torrent sur une vingtaine de mètres jusqu'au moment où elle trouva un passage peu profond. Elle traversa là et redescendit de l'autre côté. Le cheval d'Albert, traînant ses rênes, suivit Elizabeth et son cheval gris.

Albert se trouvait déjà près de la statue, à genoux sur une étroite corniche, à six mètres environ au-dessus de la jeune fille.

— Bonté, Elizabeth ! Il n'y a rien ! Rien ! Pas d'or, pas de cassette, pas de papiers !

Sa voix était rauque et furieuse.

Etonnée par l'intensité de sa déception, Elizabeth tenta de le raisonner.

— Il n'y a peut-être jamais rien eu, dit-elle. Peut-être y a-t-il...

— Il y a quelque chose ! Il n'y a aucun doute à cela !

Il jura furieusement.

Elizabeth éloigna son cheval et s'arrêta au bord de l'eau. Elle mit pied à terre, caressa et parla un moment à sa monture, puis la laissa s'étirer et boire tandis qu'elle marchait de long en large sur la berge pour assouplir ses muscles fatigués.

Elle se retourna brusquement en entendant un bruit sourd.

— Non, Albert ! cria-t-elle. Ne faites pas cela !

Trop tard. L'Anglais serra la statue contre lui, l'arracha de son abri, puis la lança dans le vide.

Elizabeth courut jusqu'à l'endroit où la statue était tombée. La tête couronnée de la vierge s'était séparée du corps et avait roulé de côté. Le reste était brisé en trois morceaux irréguliers et gisait sur une dalle de granit.

— Albert ! Vous n'auriez pas dû ! se récria la jeune fille.

Elle se pencha pour ramasser les morceaux tandis que le jeune homme descendait de son perchoir pour venir la rejoindre.

— Pourquoi ? insista-t-elle. Pourquoi avez-vous fait cela ?

— Ce n'est qu'une statue, une superstition idiote ! Un fichu morceau de plâtre ! Eh... qu'est-ce que c'est que ça ?

L'éclat du métal frappa leurs deux regards en
même temps.

— De l'or ! De l'or, Elizabeth ! Nous l'avons
trouvé !

Dans son excitation, Albert bouscula la jeune fille.
Il tomba à genoux, et tira un couteau de sa poche, il se
mit à gratter la peinture. La tête et la couronne seules
de la statue étaient en or massif, le reste n'était que
plâtre. Mais Albert ne s'intéressait qu'à la tête couronnée.

— Le malin filou ! Quelle belle façon de cacher ses
sous ! Voyez, Elizabeth, il a fait fondre l'or et en a fait
fabriquer une tête et une couronne qui ont été fixées
sur une grossière statue. Quelques couches de peinture par là-dessus, et le tour était joué ! Qui aurait
pensé à venir le chercher là-haut ? Bonté divine ! Ce
machin doit valoir une fortune ! Nous sommes riches,
Elizabeth ! Nous sommes riches !

— Nous ?

— Evidemment. C'est pour cela que nous avons
grimpé jusqu'ici, non ?

— Je pensais qu'il y avait peut-être des papiers.
Vous disiez que c'était possible. Il faut que je sache
qui était mon père.

— Au diable votre père ! Avec tout cet argent, vous
n'avez pas besoin de vous soucier de ce qu'il était. Ne
comprenez-vous pas ? Nous sommes riches !

— Mais ces papiers disparus du général ? insista
Elizabeth.

— Qu'ils aillent au diable. Peut-être n'y en a-t-il
jamais eu !

Il continuait à gratter la peinture. Il était trop
absorbé pour s'occuper de sottises telles que de pro-

blèmes de paternité, ou stupides scrupules d'une femme...

— Moi, c'est pour cela que je suis venu ici, dit-il. L'or du pont San Lorenzo !

— Mais nous ne pouvons pas le garder, Albert. Il ne nous appartient pas.

— Oh ! mais si. Bénéfices de guerre, Elizabeth. Ils appartiennent à qui les trouve.

— Ce n'est pas à nous.

— Alors, à qui est-ce ? Répondez moi, ma petite ! A qui diable cela appartient-il ? Pas au général, il est mort et enterré ; pas à Ferrucio Lupo. Pas à *Donna* Francesca ou à vos cousins...

— Cela appartient à l'Eglise, je pense. Je ne sais pas très bien...

— Cela m'appartient à moi... à nous, si vous voulez. Ecoutez, j'ai l'intention de vous donner votre part, à condition que vous ne parliez à personne de notre découverte.

— Je ne veux rien du tout.

— Cela vous regarde. Quant à moi, j'ai l'intention...

— Albert, ce n'est pas possible ! Le général a placé cette statue ici pour réparer une faute.

— Le général est mort.

— Vous commettriez un sacrilège !

— Oh ! pour l'amour du Ciel ! Je n'ai que faire de vos sermons, Elizabeth.

— Ce n'est pas possible, Albert, Nous ne pouvons pas nous en aller tout simplement avec cet or !

Albert jura et enfonça son couteau dans le sol avec violence.

Elizabeth se détourna et ramassa calmement les morceaux de la statue. Elle entendit le pas d'Albert

derrière elle, mais elle ne se retourna pas : elle n'avait
rien à lui dire. Elle sentit sa main se poser doucement
sur son coude.

— Elizabeth, il est inutile de nous disputer...

Il n'était plus en colère.

— Si vous êtes décidée à ce point, je pense qu'il n'y
a rien d'autre à faire que reconstituer la statue et la
remettre à sa place.

— Sincèrement ?

Elle se retourna, pleine d'espoir.

Il hocha la tête avec un sourire mélancolique.

— Je regretterai probablement cette décision tout
le reste de ma vie, dit-il.

— Non, vous ne la regretterez pas ! Albert, vous
serez heureux au contraire ! Je vous le promets !

— Quelle enfant vous êtes, Elizabeth !

Il secoua la tête comme avec regret, puis évita le
regard reconnaissant de la jeune fille pour jeter un
coup d'œil de l'autre côté du torrent où il avait laissé
sa selle et ses fontes au soleil.

— Venez, dit-il. Nous discuterons de tout cela en
prenant une bonne tasse de thé.

— Oui, c'est cela.

Elle lui prit la main.

— Merci, Albert.

Les doigts du jeune homme serrèrent les siens, et
très doucement, il l'entraîna, s'éloignant des chevaux,
vers le bord de l'eau et les pierres saillantes au haut
de la cascade.

— Cela va plus vite par ici, dit-il.

— Oui, mais c'est dangereux ?

— Pas du tout. Je vais vous aider. Venez.

Il passa le premier, allant sans peine d'une pierre à
l'autre, s'arrêtant pour aider la jeune fille.

— Attention ici : faites un grand pas. C'est cela. Maintenant, au suivant.

Elle avançait craintivement, avec précaution, s'inclinant instinctivement à l'opposé de la chute d'eau. En amont, le torrent s'élargissait en un petit lac qui clapotait doucement, tandis qu'en aval, il se précipitait en bas de la paroi abrupte dans un bouillonnement d'écume. A cet endroit l'eau scintillait, éblouissante, traîtresse dans sa course folle, dangereuse, vers le lac noir où elle se brisait.

— Ne regardez pas en bas, conseilla Albert. Donnez-moi la main. Allongez bien la jambe... allez-y...

Elizabeth était perchée sur un rocher, la main en avant pour prendre celle de l'Anglais.

— Venez vite.

Il tendit la main vers elle et comme elle s'élançait la main du jeune homme se déroba...

Ce fut le vent qui la sauva. Pour lutter contre lui, elle avait penché son corps instinctivement en amont, de sorte, qu'en tombant, elle fut entraînée du côté du petit lac. Elle s'était tordu la cheville mais, malgré la douleur affreuse qu'elle ressentait, elle réussit à reprendre son équilibre au-delà du tourbillon furieux du torrent.

Elle leva les yeux une seule fois. Albert n'avait pas bougé de sa place. Il ne fit pas un geste pour l'aider. Avant que la souffrance remplît ses yeux de larmes, elle entrevit le visage de son compagnon. Il la regardait. Son expression était totalement dépourvue de pitié, aussi froide que l'eau glacée qui frappait furieusement les jambes d'Elizabeth.

CHAPITRE X

Elizabeth, assise au bord du torrent, appuyait son dos raidi et douloureux contre un rocher. Une fois de plus, elle plongea son pied nu dans l'eau glacée et l'y laissa pour que le froid effaçât sa souffrance. L'eau devrait diminuer l'enflure, pensa-t-elle. Puis elle se demanda si, finalement, elle n'avait pas la cheville fracturée. De sa main droite, elle massa le genou de sa jambe blessée, comme pour tenter de barrer la route à la douleur qui montait, pour essayer de nier la souffrance et la peur.

Mais la peur aussi bien que la souffrance était là, indéniablement. Elle frissonna au souvenir de ce qui s'était passé : il ne s'agissait pas d'un accident. Albert avait voulu la tuer.

Elle jeta un coup d'œil de l'autre côté du torrent. Il lui tournait le dos, et elle le vit ramasser les morceaux brisés de la statue. Que ferait-il maintenant ? Aurait-il recours au revolver ? A la hache ? Ou à la sombre mare au pied de la cascade ?

Il monta à cheval et prit l'autre animal par la bride. Pendant un moment, bêtes et cavalier disparurent aux yeux de la jeune fille.

Quand Albert reparut, elle remarqua le sac de toile

solidement fixé au pommeau de sa selle. Il arrêta les chevaux sur un endroit plat, devant elle. Son grand chapeau de paysan, penché en avant, dissimulait la moitié de son visage. Tout ce qu'elle voyait était la bouche et la barbe naissante qui assombrissait le menton. Ce n'était plus l'Albert qu'elle connaissait naguère.

Ils se regardèrent en silence.

— Vous vouliez que je tombe ? accusa-t-elle. Vous n'avez pas l'intention de me ramener avec vous ?

Il continua à la regarder fixement, dans un silence bien explicite. Elle revit alors cette main tendue vers elle comme pour l'aider, puis se dérobant pour effleurer son coude et lui faire perdre l'équilibre. Il avait bien tenté de la tuer. A cette pensée, elle éprouva un effroi tel qu'elle n'en avait pas ressenti depuis son enfance, depuis ses rêves à la villa, ces horribles cauchemars... les yeux jaunâtres des loups...

D'un signe de tête, la jeune fille désigna le sac.

— Vous l'emportez ?

— Naturellement.

— Vous n'en avez pas le droit !

— Qui m'en empêcherait ?

Elizabeth se releva lentement.

— C'est bon, Albert, gardez l'or si vous y tenez tellement... mais ne me laissez pas ici.

— Désolé, Elizabeth. Il est trop tard.

Ses traits exprimaient une gravité implacable.

— Je ne peux prendre aucun risque.

Il repoussa son chapeau à l'arrière de sa tête, et de la poche de sa chemise, tira un cigare qu'il alluma.

— L'ennui, avec vous, c'est que vous avez une conscience. Et comme toutes les femmes, vous êtes sottement sentimentale. J'étais sincère en vous disant que je partagerais l'or avec vous... pas forcément en parties égales, non, car c'est moi qui ai préparé toute l'affaire... mais je vous aurais donné quelque chose pour votre collaboration si vous aviez été raisonnable. Vous êtes trop crédule, Elizabeth ! De plus, je vous le répète, je ne peux pas me permettre de vous laisser faire vos confidences à n'importe quel coquin qui passe à portée de votre voix. Voyons ! nous ne serions à peine de retour que tout l'épisode serait connu de tout le monde !

— Non, je ne dirai rien. Je vous le promets !

— Désolé.

Il secouait lentement la tête d'un air résigné, avec l'expression d'un homme qui raisonne patiemment un enfant têtu.

— Navré, Elizabeth, mais j'ai des projets. Je ne peux pas vous laisser les compromettre, voyons !

Des projets ? Quel genre de projets ? Et qu'importait ? Mais il fallait le faire parler... gagner du temps.

Elle demanda :

— Vous disiez que vous avez tout préparé depuis le début ?

Elle désignait le sac de toile contenant les morceaux de la statue brisée.

— Ce n'est pas par hasard que vous avez découvert cela ?

— Non. Je ne me doutais pas que l'or serait dissimulé par de la peinture, mais je savais qu'il y en avait quelque part.

— Et vous cherchiez depuis longtemps ?

— Depuis le jour où j'ai appris la capture du chariot pontifical à San Lorenzo. Un vieux vétéran ivre m'avait raconté l'histoire en échange de deux bouteilles de vin dans une taverne romaine l'année dernière.

Apparemment, il faisait partie des hommes désignés
par le général Della Quercia pour former le peloton
d'exécution de notre ami Ferrucio. Naturellement,
mon informateur ne connaissait pas tous les détails :
il avait seulement des soupçons solidement étayés.
Mais cela a suffi pour me faire réfléchir.

— Et vous avez cherché les renseignements qui
vous manquaient ? Je vois...

— Je les ai trouvés en majeure partie.

La voix d'Albert avait pris un ton aimable, mon-
dain.

— Ensuite il m'a été facile de forger une lettre
d'introduction de Son Excellence l'Ambassadeur britannique auprès du général Della Quercia. Le général
a été très impressionné par mes références. Il était tellement snob, Elizabeth ! Pour me faire bien voir de
lui, je n'ai eu qu'à lui raconter que je voulais écrire un
compte rendu de ses exploits pour un grand journal
de Londres. Imaginez cela ! Je lui ai dit que mon tra-
vail ferait de lui un héros plus prestigieux encore
auprès du public anglais que Garibaldi ou Mazzini !

Attentivement, Elizabeth observait son interlocu-
teur, non qu'elle espérât découvrir sur son visage une
étincelle de générosité, mais elle tentait de relier cet
insensible étranger avec le garçon barbu des derniers
jours. Il n'y avait rien de commun entre eux, et pourtant, c'était le même Albert Massingham. Ou plutôt,
c'était le véritable Albert Massingham. Le jeune barbu
désinvolte n'avait été qu'un personnage destiné à
jouer un rôle particulier. Et quel acteur consommé il
était ! Comme le général avait dû être trompé par la
feinte admiration du jeune officier anglais ! Tout
comme Elizabeth s'était laissé prendre par son apparence de joyeux collégien !

Albert parlait toujours, se laissant gagner par l'enthousiasme, se vantant avec bonne humeur.

— Et le général a été pour moi un hôte généreux. Il m'a invité à séjourner dans sa villa aussi longtemps que je voudrais et a mis à ma disposition presque tous ses papiers personnels. Je dis presque... parce que, bon sang ! je n'ai pas pu tous les voir !

— Comment avez-vous su qu'il y avait un plan dans les lettres de ma mère ?

— Par intuition surtout. De plus Della Quercia était bavard après quelques verres. Il me racontait beaucoup de petites choses pendant nos amicales conversations ! Je commençais à avoir une bonne vue d'ensemble quand il est mort.

— Sa mort ? Y avez-vous été pour quelque chose ?

Albert parut très surpris.

— Bien sûr que non ! Il avait bien plus de valeur pour moi vivant que mort. Non, sa mort a été un malheureux accident. Fichtrement malheureux pour moi, pourrais-je ajouter. Cela a bouleversé mes projets jusqu'à...

— Jusqu'à mon arrivée, n'est-ce pas ?

— Vous êtes apparue juste au bon moment, oui ! On peut toujours compter sur un compatriote, c'est ma théorie. Ça tombait bien, car le major et *Donna* Francesca ne m'aimaient pas beaucoup : je crois qu'ils suspectaient mes intentions, mon « amitié » grandissante pour le vieux bonhomme. Et ils étaient décidés à me mettre dehors aussitôt après l'enterrement. Mais votre arrivée, la présence de Sabastiani, puis la visite de Ferrucio Lupo et de ses fils... bref, tout cela les a incités à me laisser un répit de quelques jours. Il ne m'en fallait pas davantage. Seulement, j'ai été obligé de travailler dur et de prendre quelques risques.

— Quels risques ?

— Eh bien, d'abord, j'ai tiré sur vous. Oui, Elizabeth, c'était moi le tireur mystérieux ! Oh ! je n'avais pas l'intention de vous tuer. Comme le général, vous m'étiez plus utile vivante que morte. Non, ma chère, je voulais seulement vous faire peur... m'arranger pour que vous finissiez par vous jeter dans mes bras avec une absolue confiance. Avouez que cela a marché magnifiquement ! Même si c'était un peu dangereux avec tous ces carabiniers autour de nous...

Un instant, la bouche d'Albert esquissa cette grimace lascive que la jeune fille avait à maintes reprises vue sur les lèvres du major Menotti.

— Mon petit plan a comporté certains côtés agréables aussi, vous rappelez-vous ?

— Taisez-vous !

— Je n'ai pas insisté, bien entendu. Je ne savais pas très bien comment vous réagiriez ensuite : les femmes sont diaboliquement imprévisibles. Je ne pouvais pas risquer de vous dresser contre moi, nous nous entendions si bien ! Vous croyiez tout ce que je vous disais, et je me conduisais avec vous en grand frère. Il aurait été stupide de compromettre d'aussi bonnes relations, n'est-ce pas ? Surtout quand j'étais si près de mettre la main sur le plan !

— Vous ! C'était vous dans ma chambre, cette nuit-là ?

Albert se mit à rire.

— Bien, Elizabeth. Bien ! Vous commencez à tout comprendre enfin ! J'aime cela !

Il souriait, comme un professeur devant une bonne élève.

Albert ! C'était lui !

Elizabeth pâlit. Avec un irrépressible sanglot, elle détourna la tête.

— Ne prenez pas cet air épouvanté. Je suis obligé de vous abandonner ici, c'est vrai, mais je ne suis pas un gredin : je ne commencerai pas par abuser de la situation.

Répondre, se tourner vers lui, ce serait lui laisser voir ses larmes.

— A la vérité, cette nuit-là, je voulais seulement poursuivre mes recherches dans votre chambre... Ah oui ! il me faut d'abord vous expliquer qu'auparavant j'avais été interrompu dans cette besogne par *Donna* Francesca et Carlotta qui, semble-t-il, avaient eu la même intention que la mienne. Je suis sorti de chez vous à la dernière seconde, mais je crois qu'elles se sont tout de même doutées de quelque chose. C'est à ce moment-là que j'ai eu l'idée de tirer des coups de feu dans votre direction. Une diversion. J'improvise admirablement, pas vrai ? Et plus tard, quand votre tante et le major ont décidé de me jeter dehors sans plus de cérémonie, j'ai eu l'idée brillante de payer une femme de chambre pour qu'elle vous glisse mon petit mot.

La jeune fille en s'aidant de ses mains, tenta de s'éloigner : elle ne supportait plus la vue de cet individu ni le son de sa voix...

— Tout bien considéré, vous êtes responsable de tout, Elizabeth, conclut Albert. Vous étiez trop ridiculement confiante, voyez-vous. Et même hier soir : si vous m'aviez tout simplement remis le plan et si vous m'aviez laissé venir seul ici, vous ne seriez pas dans cette situation. Je vous ai demandé le plan, je vous ai avertie du danger de cette expédition... mais vous ne vous êtes pas inclinée : vous avez déclaré que le plan vous appartenait et vous avez exigé de m'accompagner. Ensuite, si encore vous aviez été raisonnable au sujet de cette fichue statue et si vous aviez accepté un peu d'or pour prix de votre silence... si vous n'aviez pas été aussi stupidement noble et honnête, vous ne seriez pas dans ce triste état maintenant. Alors vous voyez : vous n'avez à vous en prendre qu'à vous-même !

Il était inutile de le supplier, le désespoir et l'impuissance interdisaient à la jeune fille la suprême humiliation d'implorer sa pitié.

— Et vous avez projeté tout cela il y a un an ? lui demanda-t-elle.

Elle redressait les épaules et forçait sa voix à demeurer unie, mais elle ne pouvait pas encore se tourner vers lui et le regarder.

— Projeté en gros et improvisé au fur et à mesure, oui.

— Une année entière de subterfuges et de comédie... et pourquoi ?

A présent, les yeux fulgurant de colère et de mépris, elle put le regarder en face.

— Pourquoi, Albert ? répéta-t-elle. Pour un sac d'or ? Cela en vaut-il vraiment la peine ?

— Pour moi, oui, dit-il avec un sourire froid. Je ne suis pas encombré par vos beaux principes, Elizabeth. Je ne méprise pas l'or. Je ne souffre d'aucun scrupule. Il y a bien longtemps que j'ai perdu toute morale et tout sens de l'honneur, Dieu merci ! A l'université, à l'armée, oui, et dans la diplomatie.

Il jeta son cigare et le suivit des yeux jusqu'à sa chute dans l'eau, puis de nouveau il se tourna vers Elizabeth.

— Vous ne pouvez avoir aucune idée de ce qu'est la vie pour un jeune officier subalterne sans fortune

dans l'un des meilleurs régiments de cavalerie.
Aucune idée !

Sa voix monta, pleine d'amertume et de colère.

— On n'y gagne le respect que par la fréquence et
le prix de ses divertissements. C'est parfait pour les
jeunes aristocrates dont le riche papa paye les notes...
et quelles notes ! Les dépenses au mess sont énormes,
pour commencer. Et on est obligé de dîner au mess,
où on ne boit que du champagne et du bordeaux, où on
ne fume que des havanes. Et on est obligé de jouer, et
de parier largement pour la moitié des maudites cour-
ses du pays. Et la chasse à courre ? Ah oui ! Elizabeth,
on est obligé de chasser à courre, vous savez ! La vie
ne vaudrait pas la peine d'être vécue au régiment si on
ne chassait pas à courre ! Et pouvez-vous imaginer
l'un de vos camarades vous invitant chez lui à la campagne, quand vous êtes obligé d'emprunter un cheval
et de paraître à dîner vêtu d'un habit loué ? Seigneur !
J'en ai eu assez de tout cela !

Albert frappa du poing son autre main ouverte.
Son cheval s'agita nerveusement sous lui.

— Mais tout est changé maintenant, reprit-il. J'ai
l'intention de me faire une place, dans la société. Avec
ça.

Il caressa le sac de toile accroché à sa selle.

— Avec de l'or, Elizabeth, je les vaudrai tous ! Je
peux acheter un siège au parlement, un titre,
n'importe quoi, être enfin quelqu'un !

Avec une étrange pitié, Elizabeth le regardait.

— Vous ne choisissez pas le bon moyen, Albert,
dit-elle. Vous ne réussirez pas. Même si vous me tuez,
on découvrira la vérité.

Il resta silencieux un moment, observant la jeune

fille, méditant ses paroles. Après un petit silence, il parcourut des yeux la montagne et dit :

— Je n'ai pas besoin de vous tuer.

— Non ? Pourtant vous avez essayé il y a un instant.

— Simple erreur de jugement, mais...

Il s'interrompit et se retourna pour inspecter les nuages qui couronnaient le sommet du *Monte* Neve.

— Je pense qu'il neigera cette nuit, dit-il. Et demain sûrement. Et vous ne pourrez pas aller loin avec cette cheville. .

Involontairement, le regard d'Elizabeth glissa vers le cheval gris qui broutait l'herbe rare. Albert secoua la tête.

— J'emmène le cheval. Demain, je le lâcherai : il trouvera bien le chemin d'une écurie. On en conclura que vous avez eu un accident.

— On me cherchera !

— Et je participerai peut-être à l'expédition, mais naturellement, pas de ce côté. Au moins pendant un jour ou deux. Et à ce moment-là...

Il haussa les épaules et leva les mains en un geste d'impuissance découragée.

— On me trouvera !

— Peut-être. Mais après deux ou trois jours... et à cette altitude, sans nourriture, avec une cheville fracturée et la neige... et les loups...

— Les loups ? répéta Elizabeth, effarée.

— Naturellement ! Quand viendra la neige, ils descendront des sommets pour chasser.

— Assez ! cria la jeune fille.

— Ainsi, vous voyez : je n'ai pas à vous tuer, Elizabeth. Ce pays s'en chargera.

Elizabeth eut l'impression de recevoir un coup en

plein visage. Elle retomba contre le rocher, les yeux
agrandis d'épouvante. Puis la colère chassa sa terreur.

— J'en sortirai ! dit-elle. Je le jure ! Je descendrai
de la montagne !

— J'en doute, dit Albert. Et vous n'avez que vous-
même à blâmer. Je vous ai dit de ne pas venir avec moi.

— Albert...

— Adieu, chère Elizabeth.

Ses lèvres se tordirent en une dernière grimace
ironique. De nouveau, le bord de son chapeau dissimula ses yeux, et il poussa son cheval en avant.
L'autre cheval suivit. Son cheval à elle. Ils abordèrent
la descente.

Elizabeth se tourna vers la montagne pour ne pas
les voir s'éloigner. Pendant quelques minutes, elle
crut réellement qu'elle réussirait à quitter cet endroit.
La colère la stimulait, une colère implacable à
laquelle se mêlait un désir de vengeance.

Il restait quelques heures avant le coucher du
soleil, se dit la jeune fille. Puis viendraient la nuit... la
neige... les loups...

*
* *

Elle n'entendait plus les chevaux, mais sa pensée
suivait Albert pas à pas.

« Il faut que je le suive ! » pensa-t-elle.

Le désespoir décupla soudain sa volonté. Pesant
lourdement sur sa jambe valide, elle se glissa le long
du rocher jusqu'à l'endroit où elle avait retiré son bas
et sa botte. Les bottes montaient jusqu'au mollet, elles
étaient usagées, mais solides, et lacées sur le devant.
Pourrait-elle chausser son pied enflé ?

Penchée en avant, elle palpa doucement sa cheville. Elle ne trouva aucune pointe osseuse qui aurait indiqué une fracture, mais la chair était meurtrie, gonflée, violette. Peut-être, pensa-t-elle, si elle pouvait détendre et assouplir le cuir, en laçant la botte très lâche... ou même en ne la laçant pas du tout...

A l'aide d'une pierre rugueuse, elle frappa et frotta le cuir à l'endroit de la cheville ; elle travailla vigoureusement pendant une demi-heure, puis estimant qu'elle ne pouvait rien faire de plus, elle remit son bas avec précaution. Enfin, elle ouvrit le devant de la botte autant qu'elle le put et l'écartant de ses deux mains, elle y fit entrer son pied. Le cuir monta avec peine sur l'enflure, mais la douleur supportée était à elle seule une sorte de victoire.

Elizabeth se reposa, haletante, se demandant si elle serait capable de parcourir dix ou douze kilomètres à travers les montagnes, avec ce pied blessé ? Et en pleine nuit ? Etait-ce possible ? Mais que pouvait-elle faire d'autre ? Rester sur place équivalait à attendre la mort.

Lentement, la jeune fille se releva, écoutant le bruit du torrent. Regardant l'eau courir. Si elle pouvait le suivre jusqu'à l'entrée du défilé, le torrent la guiderait jusqu'à la lisière des bois, à deux kilomètres, trois peut-être de là, et sous les arbres, elle trouverait peut-être un sentier de berger, un abri, ou un endroit d'où elle apercevrait la vallée... quelque chose... n'importe quoi...

Il n'y avait donc qu'à suivre le torrent.

Mais ce projet n'avait rien d'évident. Les premiers pas firent grimacer la jeune fille de douleur. Et elle n'avançait qu'avec une lenteur désespérante. Elle n'avait rien mangé depuis le matin et elle se sentait

faible. Et le vent qui descendait des cimes était de plus
en plus glacial.

Au bout d'une heure d'efforts et de lutte, elle se
retourna vers la cascade : à peine avait-elle parcouru
quelques centaines de mètres.

Le jour baissa avec une cruelle rapidité. Bientôt, il
fit nuit.

Où était Albert désormais ? Dans la forêt sans
doute, trottant paisiblement vers la ville. En sécurité.
Ou se cachait-il là, dans le noir, attendant, guettant sa
venue, regrettant de ne pas l'avoir tuée avant de partir ?

Pourquoi ne l'avait-elle pas soupçonné ? Elle avait
douté à un moment ou à un autre, de tous sauf
d'Albert. Et c'était lui qui, habilement, s'était arrangé
pour qu'elle vît des coupables là où ils n'étaient pas.

Mortellement fatiguée, elle s'assit sur le sol, sous
une sorte d'abri formé par une roche en saillie et un
épais buisson. Un abri ? Pourquoi ne resterait-elle pas
cachée là jusqu'au matin, à se reposer ? L'idée était
tentante, mais impossible à mettre en pratique : en
demeurant immobile, elle risquait de mourir de froid.

« De toute façon, je peux me reposer un instant »,
décida-t-elle en se blottissant contre le buisson, sa
main écartant les branches pour se confectionner une
sorte de niche.

Soudain, ses doigts frôlèrent un solide morceau de
bois qui semblait détaché du buisson. Elle tira, tira
encore, et dégagea peu à peu des branches enchevê-
trées un long bâton presque droit, ou plutôt un pieu de
bonne longueur.

Il pourrait lui servir de béquille, d'arme... contre
les loups !

Avec courage, la jeune fille se releva et s'appuyant

sur sa canne de fortune, elle reprit sa marche en
avant. Le morceau de bois soutenait une bonne partie
de son poids du côté de sa cheville malade, et elle s'en
servait aussi pour repousser les branches mortes et
tâter le terrain avant de s'y aventurer. Mais, sans le
vouloir, elle s'écartait du torrent, d'infranchissables
barrières de rochers l'obligeant constamment à changer de direction. Malgré tout, elle marchait toujours ;
malgré le découragement, l'épuisement, la douleur,
tout en sachant pertinemment qu'elle était complète-
ment perdue.

Il lui fallut du temps pour se rendre compte qu'elle
avait atteint les bois. Autour d'elle, les hauts sapins et
les chênes se pressaient dans la nuit, leurs branches
geignant et craquant sous les coups du vent. Savoir
qu'elle avait atteint la haute lisière de la forêt insuffla
une sorte de morne espoir à la jeune fille. Cela signifiait qu'elle avait parcouru au moins deux ou trois
kilomètres. Et c'était là l'essentiel. Si elle continuait à
marcher ainsi jusqu'à l'aube, si elle pouvait marcher
jusqu'au jour, pour trouver, peut-être, un point de
repère, elle aurait encore une chance de salut.

Mais le pourrait-elle ?

Des larmes de découragement lui montèrent aux
yeux. Une fatigue paralysante pesait sur elle comme
une chappe de plomb. Sa cheville ne lui faisait plus
tellement mal : c'était du froid qu'elle souffrait maintenant.

Elle était à bout de forces. Elle s'immobilisa contre
un gros sapin, une main crispée sur l'écorce pour se
retenir, l'autre, glacée, serrant le pieu. Un instant, son
esprit franchit les kilomètres qui la séparaient du chalet de Giacomo. Sans doute pleuvait-il dans la vallée.
Peut-être la grêle frappait-elle le toit et les fenêtres

éclairées par les flammes bondissantes du foyer. Que faisait Giacomo en cet instant ? se demanda vaguement Elizabeth. Dormait-il, ou veillait-il auprès de ses chiens fidèles ?

Giacomo ! Depuis qu'il s'était détourné d'elle, la vie n'avait plus pour elle le moindre intérêt. Mais son chagrin, désormais, n'avait plus d'importance. Rien, en vérité, n'avait plus d'importance. Rien du tout.

Elle n'était plus capable de réfléchir posément. Peu à peu, ses yeux se remplirent de larmes. Elle se mit à gémir comme une enfant. Puis ses paupières se baissèrent, et elle tomba sur ses genoux, son visage appuyé contre l'écorce glacée du sapin.

Lentement, le hurlement du vent diminua, s'éteignit...

Quand elle rouvrit les yeux, la neige tombait à gros flocons silencieux, autour d'elle.

Elle n'avait plus assez de volonté pour se remettre debout. Ses genoux d'ailleurs étaient paralysés par le froid. Rien ne pouvait plus l'inciter à accomplir ne fût-ce que le plus petit effort, le moindre mouvement capable de réveiller sa souffrance. Et pourquoi remuer quand tout cela n'était qu'un horrible rêve ? Elle se réveillerait bientôt, ou quelqu'un, un berger, un chasseur, un ami, la trouverait et la tirerait de cet enlisement blanc. Quelqu'un... Elle allait jusqu'à imaginer qu'elle entendait des pas étouffés, les voix de gens qui approchaient...

Elle sursauta et ouvrit les yeux, fixant avec une intensité frénétique l'obscurité. Etait-ce une illusion ou bien quelque chose bougeait-il réellement dans les sapins ?

Soudain, elle distingua nettement le pelage, la démarche souple...

Le loup s'arrêta, à huit ou neuf mètres d'elle. Elizabeth était fascinée par les yeux luisants et cruels qui scrutaient l'espace. Son regard s'immobilisa, repérant sa silhouette recroquevillée.

L'animal rejeta la tête en arrière et poussa un hurlement sauvage. Du fond de la nuit répondit un autre hurlement.

Comme le loup s'approchait d'elle, Elizabeth fit, pour se relever, un effort désespéré, mais elle trébucha et tomba au pied de l'arbre. Alors elle appuya son front contre l'écorce rugueuse et poussa un cri de détresse.

CHAPITRE XI

Quand Giacomo la trouva enfin, elle était évanouie et à moitié gelée.

S'il était arrivé là quelques minutes plus tard, le fil ténu qui la rattachait à l'existence lui aurait été arraché par les loups.

Deux loups étaient couchés sur la neige, morts auprès de la jeune fille. L'un des chiens de Giacomo, le premier à être parvenu jusqu'à elle, était légèrement blessé au flanc. L'autre chien achevait après une lutte sans pitié l'autre bête sauvage.

Plus loin, sous les arbres, gisaient deux autres loups, abattus par deux coups de feu précipités. Le combat était fini.

Giacomo s'assura d'abord qu'elle vivait toujours. A genoux près d'elle, il approcha son oreille de ses lèvres.

Quand il eut constaté avec soulagement qu'elle respirait assez régulièrement il examina les petites mains inertes, et fit remuer les doigts. Puis il retira les bottes et arracha les bas. La vue de la cheville enflée et bleue l'épouvanta, en y regardant de plus près, il comprit qu'il ne s'agissait pas d'une gelure, mais il ne prit pas de risque. Il massa doucement les mains et les pieds. Quand il sentit que la circulation se rétablissait, il poussa un soupir de soulagement ; il laissa glisser sur le sol le havresac fixé à son épaule et en tira une gourde d'huile. Il versa de l'huile sur ses mains et continua le massage. Le sang circulait plus vite, et la jeune fille gémit une ou deux fois, preuve que ses doigts, reprenant vie, la faisaient souffrir. Ils étaient chauds et souples à présent : Giacomo les glissa dans ses propres gants.

Il agissait rapidement, sans s'affoler, avec des gestes précis et habiles. Il retira sa veste doublée de fourrure, releva la jeune fille contre le tronc du sapin et la revêtit de la veste, en remontant le col autour de son menton. Ses yeux étaient clos, son visage tiré de fatigue et de souffrance.

Quand le jeune homme constata qu'il ne pouvait rien faire d'autre, il prit une autre gourde dans son sac et la déboucha : il versa quelques gouttes d'alcool entre les lèvres pâles. Un faible gémissement le récompensa, suivi par une petite toux. Giacomo passa un bras derrière la tête d'Elizabeth, entrouvrit ses lèvres avec son doigt et versa un filet de cognac dans sa bouche. Elle toussa de nouveau, mais l'alcool avait passé.

— Tout va bien, assura-t-il. Je suis là.

Elle ouvrit les yeux, aperçut la silhouette masculine, et secoua frénétiquement la tête, comme si elle refusait d'accepter l'illusion cruelle dont elle était victime.

— Non ! Oh non !

— Mais si, Elizabetta. Je suis là. Giacomo. Tu es sauvée.

A travers les brumes grises de l'épuisement et de l'incrédulité, elle luttait contre le mirage. La douleur et l'incompréhension firent monter un sanglot dans sa gorge. Puis ses yeux se refermèrent et sa tête roula contre l'épaule du garçon.

Il remit le havresac sur son épaule, puis son fusil. Il souleva la jeune fille dans ses bras et se mit à marcher dans la neige. Ce fut alors que vint la réaction, après tant d'émotions : Giacomo fut pris de tremblements violents tandis qu'il serrait Elizabeth contre lui. Il ferma les yeux. En crispant les paupières, il empêcherait les larmes de venir, et le sifflement du vent domina ses sanglots. Dieu merci, Dieu merci ! il l'avait trouvée avant qu'il ne fût trop tard !

Et par quel coup de chance ! Il avait vu ses traces dans la neige, les avait suivies. Puis il avait entendu le hurlement des loups et le cri de terreur d'Elizabeth. Il avait lancé ses chiens à son secours, courant derrière eux, le cœur battant d'effroi. Et il l'avait trouvée, vivante, à un endroit distant d'une vingtaine de minutes d'un de ses abris de chasse, édifié sur un petit plateau d'une vingtaine de mètres de largeur. L'année précédente, il avait construit ce refuge pour les nuits où la chasse prolongée le retenait trop loin de chez lui.

Quand il eut installé Elizabeth dans son sac de couchage, il alluma un petit feu dans un creux, à quelques centimètres de l'ouverture de l'abri et fit bouillir de la neige dans une gamelle pour faire du café. Constamment, il regardait Elizabeth pour s'assurer que tout allait bien pour elle. Peu à peu, la flamme du feu montant plus haut, il vit que son immobilité n'était plus due à l'inconscience, mais au repos profond qui suit un total épuisement. Elle avait chaud maintenant, elle était en sécurité, sa respiration était calme et régulière. Elle n'avait plus ces tressaillements nerveux, symptômes de sa terreur. Il décida de ne pas la réveiller pour lui faire boire du café.

Quand viendrait le matin, ils auraient mille questions à se poser l'un à l'autre, mais les explications attendraient.

Après avoir bu son café, Giacomo ramassa du bois et construisit un feu qui brûlerait jusqu'à l'aube.

Il s'étendit à côté d'Elizabeth, la prit dans ses bras, pour lui communiquer sa chaleur.

Mais Giacomo était incapable de dormir, se maudissant d'avoir été aussi stupidement aveugle durant ces derniers jours. Sa pensée revint à ces jours écoulés, cherchant à mesurer l'importance de chaque détail, de chaque parole depuis l'instant où Elizabeth avait quitté sa maisonnette en le menaçant : « Giacomo ! si tu me chasses maintenant, je ne reviendrai jamais ! Je ne te reverrai jamais ! Jamais ! »

Les larmes étaient montées à ses yeux incrédules. Elle l'aimait ! Elle l'avait supplié de lui avouer son amour. Ses paroles avaient été un défi et une prière, elles s'étaient enfoncées dans son cœur comme une lame, mais il s'était efforcé de rester sourd à son appel. il ne pouvait rien faire d'autre.

Il l'avait vue cacher ses larmes en passant devant lui. Désespérément, il aurait voulu s'avancer, la prendre dans ses bras, la retenir...

Mais la retenir, il le savait, aurait impliqué des aveux. Pendant une seconde, il avait été tenté... Il aurait tant voulu qu'elle sût tout, mais dans ce cas, elle aurait connu la souffrance qu'il avait repoussée tout au fond de lui-même depuis que sa mère lui avait révélé la vérité.

Il lui aurait dit : « Je suis ton frère, Elizabeth. Le général était aussi mon père ! »

Mais il avait gardé le silence. Il était resté là, la regardant s'éloigner du chalet, immobile et muet, se rappelant la souffrance passée, la mort d'une partie de son être quand il avait su qu'elle était sa demi-sœur.

Si seulement il avait été au courant de ses origines plus tôt, au cours de cet été vieux de dix ans, il aurait appris à aimer Elizabeth d'un amour fraternel. Hélas ! dès la première minute où il avait franchi le mur de la villa et aperçu la pâle petite étrangère en tablier vert et bottines à boutons, Giacomo en était tombé amoureux. Comme ils avaient ri du contraste qui existait entre eux, entre ce gamin brûlé de soleil, aux pieds nus, et la correcte petite écolière anglaise qui le regardait subrepticement de sous son ombrelle. Giacomo lui avait dit quelque chose en italien, qu'elle n'avait pas compris, et cela les avait fait rire tous les deux. Ah ! quel merveilleux été que celui-là !

Merveilleux... jusqu'au jour où *Donna* Francesca avait renvoyé la petite fille à ses oncles en Angleterre. Giacomo se souvenait de son départ et de ses larmes. Et il se rappelait comme il avait pleuré, lui aussi, pendant les longues nuits où il s'était demandé s'il est possible de se rendre à pied en Angleterre. Il avait pleuré souvent, silencieusement, jusqu'au jour où il avait reçu la première lettre d'Elizabeth.

Alors, il avait décidé d'apprendre à lire et à écrire : ainsi il pourrait exprimer son amour et lui dire que, quand elle serait plus âgée et en aurait fini avec l'école, il la rejoindrait en Angleterre pour obtenir sa main. Il faudrait qu'il la demandât à ses oncles, car *Donna* Francesca et le général Della Quercia n'autoriseraient jamais ce mariage. Jamais.

Au début, la mère de Giacomo s'était moquée gentiment de ces folies. Puis, avec le temps, son visage avait pris une étrange expression de tendresse inquiète chaque fois que Giacomo parlait d'Elizabetta. Nombreuses avaient été ses allusions à leurs différences sociales, à l'éloignement...

Et enfin, peu de temps avant sa mort, elle lui avait tout révélé.

Petite paysanne inculte, elle avait été engagée par la famille Della Quercia comme servante pendant la « saison », et, avait-elle expliqué — les mots montant à ses lèvres avec hésitation, ses grands yeux pleins de larmes suppliant Giacomo de comprendre et de pardonner — des hommes comme le général, parfois, exigeaient certaines choses de leurs servantes, surtout si elles étaient jeunes et jolies...

Et plus tard, cependant, quand l'enfant était né, le général s'était montré bien plus généreux que la plupart des maîtres à cette époque : ne lui avait-il pas permis de garder son fils, ne lui avait-il pas donné ce chalet pour y vivre et y élever l'enfant ? Aussi, Giacomo ne devait éprouver nulle rancune, mais promettre de fidèlement honorer et respecter son père. Et par-dessus tout, solennellement d'oublier la petite Anglaise qui était sa demi-sœur... oublier son amour pour elle...

Ainsi, en cette nuit où sa mère était morte, Giacomo avait perdu deux êtres qu'il aimait. Après les humbles funérailles, il était parti dans la haute montagne avec sa douleur.

Pendant plus d'une année, il n'avait vu personne, n'avait parlé à personne. Il n'avait connu qu'une infinie solitude. D'abord, la montagne lui avait semblé glacée et hostile, puis peu à peu, il avait appris à survivre, à noyer sa peine torturante comme on noie un feu de camp lorsqu'on le quitte au cours de la nuit. Il avait appris à retrouver son chemin dans la nature sauvage, à suivre le gibier à la trace, à dissimuler ses propres traces et ses abris. La montagne était devenue son foyer.

Puis, au bout de quelques mois, il était redescendu au domaine des hommes ; prêt désormais à accepter docilement ce que lui offrirait la vie.

Donna Francesca lui avait alors ordonné de quitter le chalet Leonardi. Calmement, Giacomo lui avait tenu tête et avait entrepris de reconstruire la maisonnette. Alors les menaces de *Donna* Francesca étaient devenues plus véhémentes au point de parvenir aux oreilles du général qui avait immédiatement défendu qu'on se mêlât des affaires du « jeune Leonardi ». Mais le « jeune Leonardi » n'avait éprouvé aucune gratitude envers cet étranger qui était son père. Le chalet, le terrain, jusqu'à son nom, tout ce qu'il possédait qui eût à ses yeux quelque valeur, lui avait été légué par sa mère et non par son père.

Au cours des années suivantes, quand le général avait pris l'habitude d'employer Giacomo comme guide de chasse dans la montagne, des rapports étranges avaient uni les deux hommes. Giacomo savait qu'à l'armée, Manfredo Della Quercia pouvait commander, dominer, jouer avec la vie des autres comme avec une boîte de soldats de plomb, mais ici, Giacomo dominait, même avec une volontaire discrétion. Il était expert dans la montagne, et le général, son père, n'était qu'un client, un chasseur qui payait les services d'un guide de grande classe. Il payait aussi, d'une curieuse manière oblique, des années de négligence.

Jamais ils n'avaient parlé de Mamma Leonardi au cours des longues nuits près des feux de camp, et bien

que de temps à autre, assez gauchement, le général
eût tenté de prendre une attitude paternelle, Giacomo
n'avait ni encouragé ni repoussé les maladroites avances. Il avait attendu simplement, patiemment que le
général lui dît : « Je suis ton père, Giacomo. Tu es mon
fils. »

Il comprenait maintenant qu'un tel aveu aurait
exigé une sorte de courage que le fameux soldat ne
possédait pas, un courage fait d'humilité et de har-
diesse.

Quand l'aveu avait été enfin arraché au général, ce
n'était pas le silence de Giacomo qui l'avait provoqué,
mais la montagne, une tempête hurlante et la terreur
d'un homme, blessé, tremblant de mourir de froid
tout seul dans la nature déchaînée. Ah ! comme le
général avait prié, cette nuit-là ! Prié, et pleuré, et promis de racheter les mauvaises actions de son passé si
seulement une horrible mort lui était épargnée. S'il
était sauvé, il ferait ériger une statue de la Madone en
remerciement, il reconnaîtrait publiquement Giacomo pour son fils, il ferait dire une neuvaine de messes, il...

Il avait prestement oublié sa deuxième promesse
après son salut. Ou, plus vraisemblablement, *Donna*
Francesca ne lui avait pas permis de la tenir. La statue
de la Madone, certainement, la neuvaine de messes,
bien sûr ! Mais admettre devant tout le monde que cet
insolent bâtard, Giacomo, avait pour père un Della
Quercia ? Ridicule !

D'une manière ou de l'autre, Giacomo s'en souciait
peu. Mais un inexplicable instinct lui disait que l'aveu
public aurait rendu justice à sa mère, aurait un peu
compensé la manière dont le général avait abusé de
son autorité.

Et surtout, en reconnaissant publiquement sa paternité, il aurait obligé Elizabeth à reconsidérer ses sentiments pour Giacomo.

Quand, trois jours plus tôt, Elizabeth l'avait quitté, il avait pris la décision, une fois encore, de retourner dans la montagne pour oublier.

C'était à ce moment qu'un coup de feu avait retenti ; sachant Elizabeth dehors, Giacomo, le cœur battant, avait pris son fusil et une cartouchière pleine avant que n'éclatât la deuxième détonation. Il était parti, faisant signe aux chiens de rester sur ses talons, et il avait couru à toutes jambes, tandis que le silence de la vallée était rompu par le tonnerre de plusieurs fusils.

Il ne s'était pas engagé sur le sentier pris par Elizabeth, mais s'était élancé par un raccourci qui s'élevait rapidement sous les sapins. Du haut de la pente, il pouvait voir jusqu'aux murs de la villa. En dessous de lui, il avait distingué l'Anglais qui traversait le taillis épais, puis il avait vu Elizabeth affolée qui courait. L'Anglais galopait vers elle, et Giacomo avait épaulé son fusil. A ce moment, il avait vu de l'agitation près de la villa, et aussitôt, il avait entendu une autre détonation. Il avait attendu encore pour être certain que l'Anglais allait au secours d'Elizabeth, puis il avait tourné son fusil dans une autre direction et tiré. Il n'avait rien visé de précis, mais peu importait : il voulait seulement signaler sa présence et attirer les coups de feu sur lui. Quand il avait vu Elizabeth et l'Anglais hors de danger, il s'était éloigné dans les rochers et les arbres, tirant continuellement, visant sans précision, mais suffisamment bien, cependant, pour ne pas laisser deviner qu'il voulait seulement éloigner les tireurs. Ainsi avait-il entraîné les fusils invisibles loin du refuge d'Elizabeth.

Plus tard, Giacomo avait vu Elizabeth, l'Anglais et le Dr Sabastiani regagner la villa sans encombre. La jeune fille était désormais en sécurité, sous la protection du vieux médecin. L'Anglais, lui aussi, s'était avéré un ami sûr. Giacomo s'était laissé aller à songer au proche avenir : peut-être Elizabeth et le *Signor* Massingham retourneraient-ils ensemble en Angleterre : peut-être, un jour, s'aimeraient-ils et s'épouseraient-ils. Cette seule idée lui faisait mal, mais pourtant, il savait que ce serait le meilleur parti à prendre pour la jeune fille.

À la fin de l'après-midi, il était retourné dans son chalet et avait préparé tout ce dont il aurait besoin pour un long séjour dans la montagne. Cette nuit-là, il avait dormi sous les étoiles, blotti dans son sac de couchage sous les branches basses d'un grand sapin, ses chiens couchés contre lui.

Le lendemain matin, le soleil déjà haut dans le ciel, il avait aperçu la petite caravane qui quittait la villa. L'été s'achevait. Le long hiver allait commencer.

La distance l'avait empêché de reconnaître les voyageurs. Il avait identifié le chariot aux bagages et la victoria de *Donna* Francesca, mais quels étaient les occupants de l'autre voiture ?

Dans son sac, il avait trouvé ses jumelles, et avait pu de cette façon apercevoir Elizabeth assise à côté du docteur Sabastiani dans la voiture.

Puis, lentement, il s'était détourné de la route déserte.

Son sac de couchage fixé sur ses épaules, il avait pris son fusil et s'était mis en route. Demain, il serait très haut sur la face ouest du *Monte* Neve.

Mais le lendemain, sur les premiers contreforts de la montagne, il avait aperçu dans ses jumelles Elizabeth et l'Anglais, au moment où tous deux émergeaient d'un bouquet d'arbres. Cela l'avait vivement intrigué. Les deux cavaliers se dirigeaient vers la statue de la Madone. Etait-ce un hasard ? La statue devait être leur objectif, c'était obligatoire. Mais pourquoi ? Et pourquoi Giacomo avait-il soudain éprouvé une peur inexplicable qui lui étreignait la gorge ?

Les cavaliers avaient disparu. Giacomo avait eu le choix entre deux solutions : redescendre vers le torrent et suivre leurs traces dans la gorge ; mais il aurait perdu une heure encore alors qu'ils avaient déjà deux heures d'avance sur lui. En revanche, il aurait eu une bonne chance de les rencontrer quand ceux-ci auraient emprunté le chemin du retour. Le chemin du retour ? Giacomo éprouvait un curieux sentiment : il avait l'impression confuse que seul l'Anglais sortirait du défilé. Certes, il ne pouvait en être certain, mais depuis longtemps il avait appris à se fier à cette singulière intuition qui lui venait dans la montagne.

En définitive, il avait choisi de rester sur les hauteurs, de contourner la montagne, puis de rejoindre enfin la chute d'eau. Dans ce cas-là, si pour une raison quelconque, Elizabeth était restée en arrière, blessée ou non, il aurait pu la rejoindre plus vite.

Deux heures plus tard, il avait regretté amèrement sa décision. Il n'était pas venu de ce côté de la montagne depuis près de deux ans et il avait compté sur un pont naturel formé par la roche au-dessus d'une crevasse, qui lui permettrait d'atteindre son but beaucoup plus rapidement. Mais lorsqu'il était arrivé sur place, le pont n'existait plus, vraisemblablement détruit par une avalanche. Il lui avait donc fallu faire un vaste détour, perdre une heure de plus, au moins, et pour finir, prendre un autre raccourci, en suivant une corniche large de cinquante centimètres à peine et surplombant le vide.

Il avait dû avancer centimètre par centimètre collant à la paroi, cherchant à la surface à peu près unie des prises minuscules pour ses doigts. Le sac et le fusil lui tiraient l'épaule, le vent s'engouffrait en sifflant pour frapper son corps, en équilibre précaire, tandis qu'il testait le sol du pied avant de faire un pas de plus sur la corniche.

Enfin, la corniche s'était élargie et, arrivé de l'autre côté, il avait posé son chargement, s'était agenouillé sur le sol, et pendant dix minutes avait encouragé ses chiens à venir le rejoindre.

Il était épuisé, mais déjà, il avait perdu trop de temps. Il avait encore un chemin difficile à parcourir. Dès que ses chiens l'avaient rejoint, il avait remis sac et fusil sur son épaule et il était reparti.

La nuit tombait quand il était parvenu au fond de la faille. Il lui avait fallu marcher encore quarante-cinq minutes avant d'arriver au torrent, et presque autant de temps pour atteindre la cascade.

Il avait découvert alors la niche qui avait abrité la statue, et il n'avait rien compris à la destruction, apparemment absurde, de la madone noire.

Il avait fini par distinguer les traces des sabots des deux chevaux. Ainsi, les deux cavaliers étaient toujours ensemble et ils se dirigeaient vers le bas de la gorge. Il était probable qu'ils s'arrêteraient bientôt pour la nuit et allumeraient un feu : avec un peu de chance, Giacomo le verrait. Mais une chute de neige lui avait ôté cet espoir.

Puis la chance, à nouveau, lui avait souri : un de ses chiens avait repéré un endroit où quelqu'un s'était reposé un moment, à l'abri de buissons épais. Les buissons protégeant le sol du vent, la neige n'avait pas réussi à masquer les empreintes sur l'herbe aplatie.

Giacomo avait alors compris qu'il s'agissait de celle d'Elizabeth : un homme n'aurait pas laissé des traces aussi petites.

Il s'était mis à courir, encourageant ses chiens à chercher. Elle ne pouvait plus être bien loin maintenant. Deux fois il avait hurlé son nom, clamant de toute la force de ses poumons dans la nuit. En vain. Seul lui avait répondu le sinistre hurlement d'un loup. D'épouvante, Giacomo avait failli s'arrêter dans sa course.

L'effroi qui perçait dans sa voix avait déchaîné les chiens. A tel point que le jeune homme les avait rapidement perdus de vue, par bonheur, leur sillage était facile à suivre dans la neige.

Et enfin, il les avait vus. Les loups s'avançaient, les deux chiens en arrêt attendaient l'attaque... et derrière eux, Elizabeth était étendue dans la neige.

... A présent, dans l'obscurité, elle était blottie contre lui, son dos, tout chaud dans le sac de couchage, appuyé à sa hanche.

En dépit de sa fatigue, Giacomo ne dormait pas. Au souvenir des jours écoulés, à l'idée des épreuves subies par la jeune fille et de la peur qu'il avait éprouvée pour elle, instinctivement, il l'entoura de ses bras pour mieux la protéger. Au même moment, un petit sanglot la secoua. Elle se tourna vers lui. Il ne pouvait voir son visage dans l'obscurité, mais il le devinait pâle et terrifié.

— Tout va bien maintenant. Tu es sauvée. Je suis là ! murmura-t-il.

Ses bras se resserrèrent autour d'elle. Ainsi pouvait-il sentir son plus léger frémissement.

— Giacomo, balbutia-t-elle.

Elle constatait : elle n'interrogeait pas. C'était comme si Elizabeth s'était attendue à ce que Giacomo fût là, près d'elle, comme si elle avait su que ce moment devait arriver, inexorablement.

— Dors, Elizabetta. Repose-toi.

Elle se nicha contre lui, à mi-chemin entre le sommeil et l'éveil. Son visage était si proche, si doux... Il se pencha pour l'embrasser. Elle leva la tête de sorte que le baiser qui était destiné à son front se posa sur sa bouche. Langoureuse et ensommeillée, Elizabeth se serra plus encore contre lui.

— Il faut dormir, Elizabetta..., murmura-t-il, tendrement.

De nouveau, il ressentait la torture de savoir qu'elle était sa sœur. Avoir trouvé une femme à aimer plus que sa vie, et la perdre à cause de cet amour, c'était bien la pire des cruautés.

Il réussit à se résigner pourtant, et là, dans l'obscurité, la passion fit place à une tendresse immense, analogue à celle qu'il avait éprouvée dans son enfance, quand il se promenait auprès de la petite Anglaise de la villa, ou quand il la protégeait du haut de son arbre. Alors une paix l'envahit comme celle qui l'avait visitée lorsque le docteur Sabastiani, à son chevet, lui avait chanté une vieille berceuse, jusqu'à ce que tombât enfin la fièvre.

Près de lui, Elizabeth s'agita soudain, et Giacomo

dissipa le cauchemar en chantant à mi-voix la vieille berceuse du médecin.

Elizabeth murmura contre son épaule :

— Mon père me chantait cela autrefois...

CHAPITRE XII

Il faisait encore nuit quand Giacomo se glissa hors de l'abri. Il se retourna pour s'assurer qu'Elizabeth ne s'était pas réveillée. Dans l'ombre chaude, son visage était doux et paisible, son corps calme et détendu. Les braises du feu l'éclairaient d'une lueur rose. Après l'avoir longuement regardée, admirée, Giacomo vérifia le feu : il tiendrait encore une heure, estima-t-il.

Sans bruit, il s'éloigna entre les arbres, en quête de nourriture. Il avait un peu de viande salée dans son havresac, mais cela ne suffirait pas. Il ne voulait pas réveiller Elizabeth par un coup de fusil, et il tendit quelques pièges, utilisant de petites branches de sapin qu'il disposa à des emplacements favorables sous les arbres. Une branche feuillue lui permit d'effacer ses empreintes aux alentours des pièges.

Il travaillait machinalement, l'esprit occupé à réfléchir. Sa présente activité ne servait qu'à lui rappeler que la vie, dans ce pays, serait trop dure et pénible pour une femme telle qu'Elizabeth. Il fallait qu'elle retournât parmi les siens. Giacomo, quant à lui, resterait dans les hautes montagnes : tous deux n'auraient plus que leurs souvenirs. Celui de cette

nuit, de cette merveilleuse proximité dans l'ombre
d'un refuge de chasse...

Et cependant...

« Mon père me chantait cela autrefois » avait dit
Elizabeth avant de s'endormir.

Le Dr Sabastiani, lui aussi, chantait cette berceuse. Se pouvait-il que ?...

La graine était semée dans l'esprit de Giacomo.
L'espoir prenait racine. Plus il essayait de repousser
cette éventualité, plus son imagination s'obstinait à
envisager le miracle. Etait-il possible que le Dr Sabastiani fût le père d'Elizabeth ?

Et le général ? Giacomo évoqua toutes ces longues
nuits devant un feu de camp. En y réfléchissant, Giacomo ne se rappelait pas avoir jamais entendu le général prononcer le nom d'Elizabeth. Et pourtant... Si !
Si, une fois, le général avait fait brièvement allusion à
« l'enfant en Angleterre ». Il n'avait pas dit *mon*
enfant. *Ma* fille. Elizabeth et le général ne s'étaient
jamais rencontrés. Giacomo en était certain. Alors...

Alors, comment pouvait-elle se souvenir de son
père lui chantant un jour cette berceuse ? En revanche, le Dr Sabastiani était allé une fois en Angleterre.

A l'époque où il apprenait à lire avec le médecin,
Giacomo, un jour, lui avait demandé s'il était possible
d'aller à pied en Angleterre. Le médecin avait souri en
répondant qu'il fallait traverser la mer. Il avait pris
une carte pour la montrer au garçon. Aujourd'hui,
Giacomo se rappelait tout ce que lui avait raconté le
Dr Sabastiani sur son voyage en ce lointain pays.

Au cours de l'hiver 1858, l'homme d'état britannique, Gladstone, avait réussi à attirer l'attention du
monde sur les prisons napolitaines, accusant avec
véhémence la cruauté du roi Ferdinand II. Finale-

ment, le Dr Sabastiani, avec soixante-cinq prisonniers parmi les plus importants, avaient été retirés de leurs prison et étaient montés à bord d'un bateau qui les avait conduits à Cadix où les attendait un navire américain qui devait les emmener à New York. Une fois sur le bateau américain, en pleine mer, les patriotes avaient persuadé le capitaine de les débarquer en Irlande. De là, ils avaient gagné Bristol, puis Londres, et avaient enfin réussi à rentrer dans leur pays pour continuer à se battre pour l'indépendance et la réunification de l'Italie.

Le Dr Sabastiani lui avait montré tous les endroits dont il parlait sur la carte : Naples, Cadix, l'océan, Queenstown en Irlande, Bristol, Londres, Douvres, Calais, Paris, Turin. Le voyage datait de dix-sept ans : Elizabeth devait avoir environ quatre ans quand le médecin avait traversé Londres.

Giacomo regagna l'abri, espérant à demi la trouver éveillée afin de pouvoir l'interroger sur ce temps-là, mais elle dormait toujours profondément. Elle était si calme, les yeux clos, respirant régulièrement, qu'il fut tenté de s'allonger à côté d'elle encore. Il était las, n'ayant pas dormi depuis vingt-quatre heures, mais au lieu de s'étendre, il s'agenouilla près du feu et souffla sur les braises pour en faire jaillir de petites flammes.

Elizabeth aurait faim en se réveillant. Après quelques minutes, il ressortit et alla voir ses pièges. Aucun n'avait fonctionné. Giacomo trouva un bon poste d'observation sous des arbres et attendit.

L'aube se leva derrière les montagnes dans un voile de brume. Les sommets se dessinèrent peu à peu sur le ciel gris, puis quelques rayons de jour se glissèrent entre les arbres. La forêt restait dissimulée par le brouillard, les buissons ruisselaient de grosses gout-

tes d'eau glacée. Après quelque temps, un lièvre quitta
son gîte et s'avança prudemment, allant d'un buisson
à l'autre, attendant un long moment entre chacun, tendant l'oreille, flairant l'air. Giacomo leva son fusil,
visa, et pressa la détente. Le coup de feu éveilla un
écho prolongé. Le jeune homme alla ramasser l'animal grassouillet, l'écorcha aussitôt pour qu'Elizabeth
n'assistât pas à ce spectacle : la détonation avait dû la
réveiller. Il vida la bête, la nettoya dans la neige, puis
regagna le refuge.

Ce fut alors qu'il entendit un son. Un bruit léger,
rien de plus qu'un frémissement de feuilles, une
goutte d'eau qui tombait, ou un souffle de vent glissant sur la neige durcie, mais il y avait dans ce bruit
une note discordante qui alerta Giacomo. Sans se
retourner, sans changer l'allure de son pas, il se dirigea vers un bouquet d'arbres. L'ombre et la brume,
encore épaisses sous les branches, le dissimulaient.
S'il y avait quelqu'un derrière lui, il le verrait avant
d'avoir atteint sa cachette. Mais rien ne se produisit.

Giacomo pénétra dans le sous-bois et rampa
jusqu'à un endroit qui lui permettait de voir l'entrée
de l'abri où dormait Elizabeth. Il maudissait la neige
qui rendait son récent passage tellement visible, et la
légère spirale de fumée qui montait du petit feu à la
porte du refuge, et par-dessus tout, il s'en voulait
d'avoir tiré ce coup de feu. On avait dû l'entendre dans
toute la forêt, et il tremblait qu'Elizabeth, réveillée
par la détonation, ne se montrât sur la corniche.

Les minutes passèrent. Il attendait, guettant un
son, un mouvement qui lui révélerait la nature de la
présence, là, en contrebas, entre les arbres. C'était
peut-être l'Anglais, et à cause du désir de vengeance
qui brûlait en lui, Giacomo s'en réjouissait.

Des chevaux ! Il entendit le grincement des cuirs de selle, un animal qui s'ébrouait...

Un cavalier s'avançait dans les bois : l'homme entraînait à sa suite un second cheval, le cheval gris que montait Elizabeth la veille ! Le cavalier était penché de côté pour étudier les empreintes sur la neige. Quand il vit les traces de pas, il changea de direction et éperonna sa monture. Giacomo resta immobile, le fusil levé...

A sa vive surprise, il remarqua le vêtement flottant, la chemise rouge, et la barbe grise, hirsute, qui recouvrait presque le maigre visage de Ferrucio Lupo.

— Restez où vous êtes ! ordonna Giacomo en émergeant du couvert des arbres.

— Comment... Ah ! c'est donc vous qui avez tiré un coup de fusil ! Bénie soit la Madone !

Ferrucio s'arrêta et fit un grand salut du bras.

— Avez-vous vu la jeune fille ?

Giacomo ne répondit pas à la question. D'un signe de tête, il désigna le cheval gris.

— C'est son cheval, dit-il.

— Maintenant, c'est le mien ! rétorqua le bandit en fronçant les sourcils.

Un revolver était enfoncé dans sa poche.

— Où avez-vous pris ce cheval ? demanda Giacomo.

— Près d'un Anglais mort, répondit l'autre.

— Mort ?

— Tout ce qu'il y a de plus mort.

— Comment cela ?

— Les loups. Il n'était pas joli à voir, mon jeune ami, mais...

Ferrucio leva les épaules avec philosophie, puis,

tapotant un gros sac de toile fixé à l'arrière de sa selle, il ajouta :

— A la montagne comme à la guerre : ceux qui veulent profiter des autres n'y réussissent pas toujours. Ainsi a voulu faire l'Anglais, ainsi avait fait le général. C'est peut-être aussi bien que les loups se soient chargés, les premiers de ce jeune Anglais, car autrement, le vieux loup que je suis moi aussi aurait volontiers souillé son âme de sang britannique !

— Pourquoi cela ?

— Pourquoi ? Parce qu'il a abandonné la fille. L'avez-vous vue ?

— Que vous importe ? demanda Giacomo.

— Ecoutez, je n'ai pas le temps de bavarder. L'avez-vous vue oui ou non ? Nous l'avons cherchée toute la nuit !

— Qui cela, *nous* ?

— Pietro Sabastiani et moi, de ce côté de la montagne, mes gars Storpio et Beppi sur la face nord-est... Non, ne prenez pas cet air féroce, jeune ami ! Storpio avait ordre de la chercher, non de lui faire du mal. Il sait que je le battrais presque à mort s'il touchait seulement un cheveu de sa tête.

— Comment avez-vous su qu'elle était dans la montagne ?

— Pietro a aperçu l'Anglais et la fille ensemble... alors le bon docteur s'est méfié, il s'est renseigné ; il a su que l'Anglais avait loué deux chevaux et de l'équipement, et que la fille avait acheté des vêtements de cavalière et des bottes. Il a compris qu'ils allaient partir dans la montagne.

— Comment vous êtes-vous mêlé de cela ?

— Pietro m'a appelé, nous avons un système pour rester en contact comme autrefois, et je suis toujours content de rendre service à un vieux camarade. Je suis homme d'honneur, mon jeune ami, alors, je vous en prie, baissez votre fusil et dites-moi si vous l'avez vue.

Déjà, Ferrucio devinait la réponse. Son regard se porta sur la fumée qui montait de la corniche, pour suivre la paroi rocheuse et distinguer enfin la forme du refuge.

— Elle est là-haut ?

Giacomo restait prudent.

— Où est le docteur Sabastiani ? demanda-t-il.

Ferrucio tourna sur sa selle et tendit un pouce vers l'arrière.

Comme pour répondre au geste, un autre cavalier parut, essayant de pousser son cheval sur la pente enneigée.

— Pauvre Pietro ! Il n'est plus aussi jeune qu'il était ! dit le bandit. Et puis, mon vieux camarade est très malade.

Giacomo courut à la rencontre du médecin. Le pauvre homme était affaissé sur sa selle, le visage gris d'épuisement et de froid. Seuls paraissaient vivants ses yeux pleins d'angoisse.

— Giacomo ! Dieu soit loué ! L'as-tu vue ? Je t'en prie, Giacomo !

— Elle est saine et sauve, docteur.

Giacomo prit la bride du cheval et le guida.

— Où est-elle ?

— Là-haut. Ne vous inquiétez pas. Elle est en bonne santé.

— Merci, mon Dieu !

Le vieillard sanglotait presque de soulagement.

— Quand nous avons trouvé le corps de Massingham, j'ai cru que... J'ai eu peur qu'elle aussi...

Les mots s'étranglèrent dans sa gorge : le médecin

regardait fixement devant lui. Giacomo suivit son regard. Elizabeth était sortie de l'abri, elle s'avançait, en boitant un peu, certes, mais elle se hâtait cependant d'aller vers eux.

Giacomo vit le médecin descendre précipitamment de sa monture. Ses lèvres tremblaient. Il allait parler. Il essayait de parler. Le silence entourait le petit groupe. Puis le médecin fit dans la neige quelques pas chancelants. Elizabeth lui tendit les bras : son geste brisa le silence. Le Dr Sabastiani etreignit la jeune fille, en criant :

— Ma fille ! ma chère petite fille !

Pour la première fois depuis des années, Giacomo Leonardi sourit. Puis les larmes aux yeux, il détourna la tête.

Midi. Le soleil réchauffait l'atmosphère. Sur la corniche, la neige fondait et formait de petits ruisseaux qui couraient sur les endroits plats.

Elizabeth et le Dr Sabastiani étaient assis à l'entrée du refuge, la main dans la main, leurs têtes toutes proches l'une de l'autre.

Giacomo et Ferrucio Lupo s'étaient installés plus loin, hors de portée de leurs voix, contemplant le feu qu'avait allumé le jeune homme et qui n'était plus maintenant que des braises rougeoyantes. Ferrucio but une grande goulée de vin, et passa la bouteille à Giacomo au-dessus du feu ; mais le jeune homme refusa en secouant la tête. Il était trop heureux pour avoir envie de boire du vin.

Ferrucio était heureux aussi. A cause du vin. A cause du butin récupéré. Il serrait sur son cœur le sac de toile, le caressant avec tendresse à chaque instant,

et souriant aux anges en vidant peu à peu le reste de la
bouteille.

— Me voilà riche ! Si le vieux Manfredo pouvait
me voir en ce moment !

Il rit en se tapant sur la cuisse.

— Un malin, ce vieux Manfredo ! Il a voulu gagner
une place au paradis avec une statue ! Je l'imagine se
repentant et disant : « Désolé, Seigneur Dieu, d'avoir
volé, trompé et trahi mes vieux camarades. Mais ne
soyez pas trop sévère avec moi, Seigneur Dieu ! Ne me
demandez pas de rendre tout ce que j'ai pris.
Arrangeons-nous : faisons une espèce de partage, Seigneur ! Que diriez-vous d'une jolie statue de la
Madone ? Comme cela, je pourrais garder l'or et en
même temps je ferais quelque chose pour votre sainte
église... » Ah ! un malin mécréant, ce Manfredo ! Il
avait des idées... mais moi, j'ai plus d'un tour dans
mon sac. Il n'est pas trop tard pour le faire passer
pour le dernier des ânes au jour du jugement ! J'ai un
beau petit projet, un beau petit projet à moi !

Il rit à gorge déployée en pensant à l'avenir.

Giacomo se leva en souriant lui aussi. Il jeta un
regard sur Elizabeth et son père, puis il se tourna de
nouveau vers Ferrucio.

— Venez, dit-il. Allons examiner mes pièges.

— Je n'ai aucune envie d'examiner vos... Comment ? Oh oui ! Oui, bien sûr.

Ferrucio comprenait le clin d'œil. Il se leva et
emboîta le pas à Giacomo.

— Oui, dit-il. Je serai très content de voir vos pièges !

Il retira son chapeau et salua Elizabeth.

Le regard de la jeune fille suivit Giacomo un
moment, puis de nouveau revint au visage de son père.

Ils se tenaient toujours la main, comme un certain soir dans la cuisine de la villa. Tous les deux semblaient écouter une autre voix, d'autres paroles, voir un autre visage, à demi effacés mais jamais oubliés. Le vieil homme avait retrouvé quelque bonheur : il lui semblait que les deux lumières de sa vie, l'une évanouie et disparue, et l'autre proche et bien vivante, se mêlaient de quelque mystérieuse façon pour se compléter l'une, l'autre, et s'enrichir.

— Tu ressembles tellement à ta mère, Elizabetta !

— Parlez-moi d'elle.

— Je l'aimais beaucoup.

— Oui, père, je sais. Et elle vous aimait, dit la jeune fille.

Son sourire inondait de joie et de soulagement le cœur du vieux médecin.

— J'avais si peur que tu ne comprennes pas... que tu ne m'en veuilles de ces années de silence. Cela me faisait saigner le cœur, ma petite enfant, de ne pouvoir t'écrire pour te dire que j'étais ton père.

— Je crois que j'aurais compris.

— Dans ta petite enfance ?

Il secoua la tête.

— Non, je ne crois pas. Il aurait été cruel de charger tes petites épaules du poids de cette vérité. Je n'avais rien à t'offrir.

— Vous aviez tout à m'offrir, dit Elizabeth tristement, mais sans rien lui reprocher.

— Un pauvre vieux comme moi ? Non.

Il passa une main sur son front. Le geste et les paroles étaient pleins de mélancolie.

— Au moins, en Angleterre, avec tes oncles, tu avais une famille, un foyer...

Mais comment pouvait-elle dire à ce père enfin

retrouvé qu'un foyer n'est pas forcément synonyme de tendresse ? Elle ne savait pas au juste ce qu'elle désirait de la vie après la mort de sa mère, mais elle l'avait trouvé auprès de Giacomo, et elle le redécouvrait maintenant. Avec Giacomo. Avec son père.

— La prison, ma chérie... toujours la prison. J'étais en prison quand tu es née, et j'étais en prison quand ma bien-aimée Margaret est morte...

Il leva les mains en un geste d'impuissance, comme s'il avait souhaité arracher certains moments du passé, les plus précieux, à un sombre cachot.

— Jusqu'à l'âge de quarante-cinq ans... jusqu'au jour où j'ai rencontré ta mère, je n'avais connu d'autre amour que celui de mon pays. Jusque-là, tout le temps passé derrière des barreaux n'avait pas été pour moi un bien grand sacrifice parce que je servais mon pays, parce que je souffrais pour la délivrance de mon Italie bien-aimée. Mais quand j'ai connu Margaret...

Sa voix mourut dans un sanglot.

Il contemplait la jeune fille, comme en rêve. Elizabeth serra plus fort sa main tremblante, l'encourageant à continuer.

— J'étais beaucoup plus âgé qu'elle. Et pourtant, elle m'aimait comme je l'aimais. Tu dois comprendre, mon enfant, que je ne lui aurais jamais soufflé mot de mon amour si elle avait été heureuse avec Manfredo... même s'il s'était agi d'un modeste petit bonheur, je serais parti sans rien dire, je serais sorti de sa vie. Mais j'étais témoin de son désespoir. Il ne l'aimait pas, et pourtant il refusait obstinément de lui rendre sa liberté. Je me souviens de ses petites persécutions quotidiennes, les manques d'égards, de la tyrannie, de toutes ces choses bien plus cruelles que tout ce que j'avais souffert en captivité. La négligence et l'indifférence persistantes de Manfredo commençaient à user sa jeunesse comme un filet d'eau se dessèche sur la pierre. J'en étais désespéré.

— Je suis si heureuse que ma mère ait trouvé le bonheur auprès de vous...

— Seulement peu de temps, hélas !

— Dans une de ses lettres, elle disait ceci : « Je serai toujours heureuse d'avoir eu le courage de saisir ces moments de joie avec un être qui représentait pour moi la plus noble forme d'amour, une réalité plus merveilleuse que tout idéal. Il m'aimait... je l'aimais et je l'aimerai toujours. »

— Tu te rappelles cela par cœur, mon enfant ?

— Je garde cela dans mon cœur comme un trésor.

Après un long silence, le médecin reprit :

— Nous avions secrètement projeté de partir ensemble...

Son sourire, chargé de tristesse et de regret, demandait pardon pour les échecs du passé, pour les espoirs perdus.

— Mais vous avez été arrêté ? Est-ce cela ?

Le Dr Sabastiani hocha la tête.

— J'ai toujours figuré en bonne place sur les listes des individus politiquement indésirables, dit-il. Et je n'étais pas très doué, j'en ai peur, pour éviter les espions de la police.

— Et maman ?

— Elle a regagné l'Angleterre avant ta naissance. Tes oncles avaient beaucoup d'influence dans les milieux politiques...

— Oui, oncle James était membre du Parlement.

— Margaret voulait obtenir son soutien pour intervenir auprès de Gladstone et des autres libéraux importants afin qu'ils fassent pression sur le roi de Sicile et réussissent à faire libérer les prisonniers.

— Ils y sont parvenus, n'est-ce pas ?

— En partie. Sur sept cents prisonniers, une soixantaine a été relâchée et j'ai eu la chance d'être parmi ceux-là. Je parle de chance, ma chérie, car j'avoue que pour la première fois, j'ai accueilli avec joie un pardon que j'aurais mendié au besoin, si puissant était mon désir de retrouver celle que j'aimais. En fait, j'étais prêt à tout. J'ai organisé une sorte de mutinerie sur le vaisseau qui nous emmenait en Amérique pour obliger le capitaine à modifier sa route et à nous débarquer en Irlande. De là, je suis parvenu à gagner Londres et à y rejoindre ma Margaret adorée... et à voir pour la première fois ma petite fille...

— Je me rappelle ! Vous aviez une barbe noire.

Il ne s'agissait plus d'un souvenir fugitif, d'une énigme, désormais ! L'homme de haute taille à la barbe noire qui l'avait prise sur ses genoux, qui l'avait amusée par sa drôle de manière de parler, qui ensuite l'avait emmenée dans sa chambre, l'avait embrassée avant de la déposer doucement dans le grand berceau aux barreaux blancs et roses... et qui lui avait chanté cette petite berceuse n'était autre que ce frêle vieillard qui, maintenant, était assis à côté d'elle.

— Mais vous n'avez pas pu rester avec nous, dit la jeune fille. Vous avez dû repartir.

Elizabeth n'interrogeait pas, ne récriminait pas.

— Vous avez été forcé de rentrer en Italie ?

Il secoua la tête.

— Je n'y étais pas obligé. Je ne voulais pas repartir. Je ne voulais plus être séparé de vous. Pas même pour un instant.

— Mais alors... Pourquoi... ?

— Tes oncles, vois-tu. Ils ne l'ont pas permis.

— Je ne comprends pas ! s'écria Elizabeth.

— Eh bien... travailler à la libération d'un prisonnier italien était une chose, mais que ce prisonnier
libéré surgisse à Londres, en qualité d'amant de leur
sœur en était une autre. Je les embarrassais. Même
sachant que c'était faux, ils préféraient te voir grandir
comme la fille d'un général italien célèbre et non
comme l'enfant illégitime d'un réfugié sans le sou.
Sincèrement, je ne peux pas blâmer tes oncles. En tout
cas, ils étaient capables d'assurer ton avenir. Rappelle-toi : je n'avais rien. Rien à offrir à ma fille. Rien !

— Mais...

Elle secoua la tête, ne parvenant pas à croire qu'il
avait abandonné sa mère à la demande de ses oncles.
Comment un homme qui avait tant souffert par patrio-
tisme avait pu sacrifier un amour profond, un amour
tangible... un amour plus beau que tout idéal, sur
l'autel des nécessités matérielles ?

Il semblait lire sa pensée.

— Je vois que tu ne me crois pas, Elizabetta, et tu
as raison. A la vérité, nous avons décidé, ta mère et
moi, de quitter l'Angleterre et d'aller vivre en France.
L'Italie était hors de question pour nous. Manfredo...
Manfredo était devenu puissant. Il était orgueilleux,
vaniteux, et même vindicatif : jamais il n'aurait toléré
que nous vivions ensemble publiquement. Alors je me
suis rendu à Paris, pour y chercher un logement et
reprendre ma carrière médicale : commencer une
existence nouvelle pour moi et pour ma petite famille.
Oh ! que de rêves je faisais ! Que d'espoirs !...

— Qu'est-il arrivé ?

— Pendant que j'étais à Paris, je fus contacté par
notre chef, Mazzini, qui me demanda d'accomplir une

dernière mission dans mon pays natal avant de reprendre ma liberté. La chose était importante, je ne pouvais pas refuser. Les Autrichiens venaient de déclarer la guerre et envahissaient l'Italie. Je fus chargé de porter certains messages au comité révolutionnaire à Venise, mais...

Il leva les mains en un geste fataliste.

— Mais, reprit Elizabeth d'une voix chaude et douce, son regard voilé de larmes de tendresse, vous n'étiez pas très doué pour éviter les espions de la police.

Il hocha la tête.

— Je fus reconnu à Milan.

— Et arrêté une fois de plus ?

— Et assez heureux pour ne pas être fusillé comme espion.

— Mais emprisonné tout de même ?

— Dans la forteresse de Spielberg. J'y suis resté jusqu'à l'amnistie italienne sept ans plus tard. Sept années...

La voix du médecin n'était plus qu'un murmure.

— Vois-tu, Elizabeth, ta mère est morte trois mois avant ma libération...

Cela expliquait tout : les années de silence, l'impossibilité de réclamer sa fille : il n'avait pas de preuves, la mère d'Elizabeth n'était plus là pour confirmer ses dires. Il était impuissant devant la fortune, le rang social et l'autorité légale des oncles de l'enfant. De plus il ne pouvait pas compromettre la vie confortable, respectable de sa fille en Angleterre, lui qui ne possédait rien. Sa conscience lui interdisait d'agir. Les rides profondes de son visage témoignaient de ses angoisses passées. Mais elles n'expliquaient pas tout.

— Pourquoi m'avez-vous envoyé ce télégramme ?

— Une folie... une impulsion que j'ai amèrement regrettée jusqu'à cette minute. Toutes ces épreuves ne se seraient pas abattues sur toi si je n'avais pas étourdiment télégraphié.

— Le télégramme disait : « Votre père malade désire vous voir. » Que cela signifiait-il ?

— Précisément cela. J'étais malade et je voulais te voir. Naturellement, je savais que tu penserais qu'il s'agissait du général, mais j'espérais ta venue, Elizabetta, je voulais te revoir une fois. C'était de la folie, je le sais... mais vois-tu, ce matin-là, quand je suis venu à Citta Capragnano, ce n'était pas seulement pour chercher mon habituelle provision de remèdes, mais pour recevoir d'un de mes collègues, un éminent médecin de Rome, spécialiste du cœur et de la circulation, la confirmation de ce que je savais déjà par moi-même : j'avais sans doute, au plus, une dernière année à vivre. Ses recherches, sa lettre ont confirmé... Ah ! je t'en prie, ne sois pas triste, ma petite frlle !

Il serra la main d'Elizabeth.

— Crois-moi, Elizabetta, une longue existence est un don cruel pour celui qui est condamné à survivre à celle qu'il aime !

Après un moment de silence, il reprit d'une voix douce et tranquille, presque sur le ton de la conversation :

— Il fallait que je te revoie, mon enfant. Je confesse qu'un instant, j'ai été désappointé en apprenant, ce matin-là, qu'il ne me restait plus qu'une année à vivre. C'est à ce moment-là que je t'ai envoyé ce télégramme. Une impulsion soudaine ; je crois... je n'en suis pas très sûr, mais je pense que j'avais l'intention de tout t'avouer quand tu arriverais ici, comme je le fais maintenant. Plus tard, je ne savais plus... je

regrettais même de t'avoir envoyé le télégramme... et
puis, avec la mort de Manfredo, j'ai décidé que je
devais continuer à garder le silence, ma seule contri-
bution à ton éducation. J'avais pour cela une double
raison ; une certaine lâcheté, je suppose... mais surtout mon amour pour toi. Il m'est rarement arrivé
dans ma vie de cacher volontairement la vérité, mais
j'ai décidé de continuer à me taire pour ne pas compromettre les avantages dont tu pouvais bénéficier
avec le testament de Manfredo. *Donna* Francesca
aurait saisi avec joie le moindre indice pouvant servir
à te déshériter. Alors, tu vois, étant ton véritable père,
je n'avais rien à te donner sauf mon silence... je t'en
prie, Elizabetta, je t'en prie, ne pleure pas !

Il prit la jeune fille dans ses bras et doucement lui
caressa les cheveux. Elle cachait son visage contre son
épaule et elle se serrait contre lui, essayant d'étouffer
ses sanglots, à la fois heureuse et navrée, profondément émue par ce témoignage d'amour paternel.

— Ne pleure pas...

— Une année, père ? Une année seulement ?

— Oh ! ne pleure pas sur moi, mon enfant ! Ne me
demande pas de vivre plus longtemps que je ne veux !
J'attends impatiemment la mort, non pas avec résignation, mais avec ferveur, pour retrouver celle que
j'ai tant aimée. Ne pleure pas sur moi, Elizabetta : je
suis le plus heureux des hommes.

Ils restèrent longtemps silencieux, réunis dans une
étreinte qui effaçait les années, et le silence, et les soli-
tudes. Puis la voix de Giacomo monta vers eux, venant
des bois. Le médecin murmura :

— Le général a dit un jour que Giacomo était
comme l'un de ces beaux chevaux qui n'ont pas encore
été dressés ni apprivoisés. Il a dit que le garçon pour-

rait être bon, ou mauvais, selon la manière dont il serait traité. Pour moi, il est et sera toujours foncièrement bon. C'est un garçon de valeur, Elizabetta.

— Oui.

— Tu resteras avec lui ?

— Oui, et avec vous, père.

— Avec moi, ce ne sera pas pour bien longtemps.

— Alors, ce temps-là n'en sera que plus précieux.

EPILOGUE

Le père Manca se réveilla brusquement.

Pendant quelques minutes, il resta immobile ; il sentait qu'un bruit insolite l'avait tiré de son sommeil, mais il était incapable de l'identifier, de savoir d'où il venait au juste.

Il passa un bras au-dessus de sa tête, et décrocha le chapelet qui pendait à un clou contre le mur derrière lui. C'était là un geste habituel... Depuis toujours, quand le repos lui était interdit par des soucis divers, il priait. Mais cette nuit, le père Manca était dans l'impossibilité de se concentrer, de prier, ou d'espérer autre chose qu'un sommeil léger coupé d'insomnies. Depuis trop longtemps, ses nuits étaient bouleversées par l'angoisse, les scrupules, les remords. Pour être plus précis, ses nuits, chacune de ses nuits, depuis les funérailles du général Della Quercia, étaient une sorte de petit purgatoire.

Les choses auraient peut-être été différentes si le père Manca s'était confié à son supérieur spirituel. A la vérité, il avait voulu parler à l'évêque, mais le secrétaire du prélat, un jeune prêtre impatient et empressé, avait éconduit le vieux curé. « Pas maintenant, lui

avait-il dit, Sa grâce a un train à prendre. Ecrivez-lui,
cela vaudra mieux. »

Mais comment un humble pasteur, manquant quelque peu d'instruction, aurait-il pu transcrire sur du
papier le secret d'une confession à l'article de la
mort ? La confession du général Della Quercia, illustre soldat ami du roi ?

Le général, en effet, plein de contrition, avait avoué
au seuil de la mort, qu'il avait volé un jour une considérable quantité d'or, et non pas de l'or séculier, mais
un trésor appartenant à l'Eglise. En fait, de l'or pontifical !

Et cet or était caché en un point perdu sur les hautes pentes du *Monte* Neve, dissimulé sous des couches
de peinture noire, et déguisé, de manière presque
blasphématoire, sous l'apparence d'une statue de la
Madone. Le général, hélas ! avait expiré avant de pouvoir désigner l'emplacement exact de la statue à son
confesseur, mais il avait néanmoins supplié son
confesseur de trouver le trésor et de le rendre à
l'église pour éviter la damnation de son âme.

Le prêtre était âgé et connaissait mal la montagne.
De plus, il se voyait mal négligeant son troupeau pendant des mois, peut-être des années, pour errer dans
la montagne et peut-être ne rien trouver. Il pouvait
seulement consulter l'évêque et lui confier les détails
du problème. L'évêque avait la possibilité d'organiser
une véritable expédition, une sorte de pèlerinage,
peut-être, ou de croisade ? Pour découvrir la statue et
restituer l'or à son légitime propriétaire, la Sainte
Eglise. Etait-ce là ce qu'il fallait faire ? Le père s'interrogea. Avait-il le droit de parler au prélat ? Ne
trahirait-il pas le secret de la confession ? Comment
savoir ? Le père Manca restait incertain en face des

règles de théologie et des complications de la morale.
Et après des jours et des nuits de constantes
réflexions et de prières, il n'était pas plus avancé. Le
Tout-Puissant n'avait pas consenti à faire connaître sa
volonté au modeste curé de Piazza Domenica.

— Et voilà qu'en plus de ces pesants soucis, il y avait
un bruit. De nouveau, il l'entendait distinctement, il
venait de l'autre côté de la petite allée qui séparait le
presbytère de l'église, comme s'il venait de l'église
elle-même.

A cette heure ? Impossible ! Le prêtre sortit de son
lit et chercha sa montre sur le buffet. Après avoir
beaucoup cligné des yeux et agité la montre en tous
sens pour capter la faible lueur qui filtrait, du ciel
nocturne, dans sa chambre, il conclut qu'il était soit
trois heures et demie, soit six heures et quart. De
toute façon, il ne pouvait y avoir personne près de
l'église à ces heures-là. Les plus fidèles vieilles femmes qui assistaient à la première messe n'arrivaient
jamais avant sept heures vingt. Alors...

Le bruit retentit de nouveau, net et indiscutable, le
grincement familier de la porte de l'église tournant
sur ses gonds. A cette heure ?

Le père Manca courut à la fenêtre et regarda
au-dehors l'allée obscure. La porte de l'église était
grande ouverte ! Avait-il oublié de la fermer ? C'était
impossible ! Les habitudes de toute une vie étaient
trop ancrées en lui.

Effrayé, mais résolu, le vieux prêtre retourna près
de son lit, et sur la chaise, à côté, trouva ses vêtements. Il s'habilla précipitamment dans l'obscurité.
Nul n'avait rien à faire dans son église au milieu de la
nuit ! Cela touchait au sacrilège ! Dans un tiroir du
buffet, il prit un vieux revolver et le glissa dans la

ceinture de sa soutane, à côté de son crucifix. Le courage chrétien, estimait-il, consiste à bien faire ce qui
doit être fait, et en l'occurrence, armé d'un grand crucifix soutenu par un revolver, il était prêt à administrer
l'absolution ou une balle, selon ce qu'exigerait la
situation.

Il descendit l'escalier et s'avança vers la porte de
l'antichambre. Il entendit, se succédant rapidement,
le hennissement d'un cheval, le bruit d'un sabot frap-
pant impatiemment le sol, des grincements de cuir
indiquant qu'une personne pesante se mettait en selle.
Une cravache claqua sur l'arrière-train de l'animal, et
finalement, un rapide galop retentit.

Le père Manca tira les verrous de la porte en quelques secondes. Il sortit en courant, regardant de tous
les côtés, mais le mystérieux cavalier avait déjà disparu dans la nuit et le bruit du galop diminuait
d'intensité sur la route de la montagne. Le prêtre se
hâta vers la porte de l'église. La serrure avait été forcée et des fragments de bois brisés ressemblaient aux
empreintes du diable lui-même ! Le prêtre se signa,
tira le crucifix de sa ceinture, et le tenant haut devant
lui, entra dans le sanctuaire.

A l'intérieur, il mit un genou en terre et s'inclina,
essayant de voir dans l'obscurité, redoutant à demi de
découvrir quelque diabolique outrage. L'habitude et
l'espoir lui affirmèrent bientôt que rien ne semblait
dérangé. Il se releva et se hâta dans la nef, la même
habitude et le même espoir guidant ses pas sur les dalles irrégulières du sol...

Et soudain, il la vit. Elle était là, au centre de
l'autel ! La statue du général !

Sans doute possible, dans sa magnificence, elle se
dressait là, radieuse, un céleste rayon de lune, passant

par le vitrail, derrière l'autel, caressant le diadème d'or pur qui couronnait sa tête.

Un examen plus attentif aurait montré que c'était là une Madone un peu bancale, que d'importantes fractures avaient été recollées assez maladroitement et que des traînées de peinture noire adhéraient encore à la tête couronnée, mais le père Manca ne s'occupait pas de ces minimes détails. Il ne voyait là qu'une réponse divine à ses prières, une manifestation de la volonté du Très-Haut, une glorieuse restitution. Un miracle !

Il ferma les yeux que les larmes brûlaient, et il tomba à genoux, éperdu de reconnaissance. Et il pria comme il n'avait pas prié depuis des années, remerciant Dieu et la Madone, et l'âme du général Della Quercia, et l'ange qui était venu, sous le déguisement d'un cavalier armé d'un pesant levier. Un miracle !

Quelques heures plus tard, les plus ponctuelles parmi les vieilles femmes qui assistaient chaque jour à la première messe furent abasourdies de voir la porte de l'église grande ouverte, sa massive serrure pendant à des vis rouillées et des fragments de bois brisé. Elles eurent peur et hésitèrent à entrer : elles restèrent sur le seuil, se racontant tout bas des histoires d'esprits qui avaient envahi la vallée la nuit précédente.

Mais elles furent encore plus surprises, et aussitôt rassurées, de voir le père Manca venir à elles, un pistolet passé à sa ceinture à côté de son crucifix, les yeux ruisselants de larmes et un sourire de béatitude éclairant son visage, qui leur faisait signe de venir.

— Avancez, mesdames ! Venez vite ! Il est arrivé un miracle !

A peu près au moment où les saintes matrones de

Piazza Domenica étaient invitées à admirer la glorieuse statue de la Vierge, le galop du cheval qui avait
retenti sur la route de la montagne, au-dessus de
l'église de la petite ville, se faisait entendre sur le chemin qui contournait le chalet de Giacomo Leonardi.
Le cavalier angélique, qui n'était autre que Ferrucio
Lupo, songea un instant à pousser son cheval jusqu'à
la maisonnette pour demander un verre de vin au
jeune chasseur. Il serait bien agréable, pensait-il, de
s'asseoir devant un bon feu en dégustant le contenu
d'un verre et en se vantant de son dernier exploit.
Agréable, certes, de rire bruyamment d'une aussi
remarquable revanche ? Car a-t-on jamais entendu
parler d'une *vendetta* qui frappe l'adversaire jusque
dans l'autre monde ?

C'était pourtant ce que le valeureux Ferrucio
venait d'accomplir ! Quel triomphe ! Il imaginait sans
peine le Très-Haut, peut-être en cet instant même,
tapant sur l'épaule du général en disant : « Désolé,
général ! Il y a eu une petite erreur ! Vous souvenez-
vous de cette statue de ma mère dont nous parlions
récemment ? Eh bien, finalement, elle a repris sa
place, grâce au bon *Signor* Lupo. Vous n'avez donc
aucun mérite, j'en ai peur, général. Alors, *Signor*
Lupo, ce bon et fidèle serviteur, va prendre votre
place. Il vous faut partir d'ici. Pas de chance ! »

Quelle délicieuse évocation ! Comme elle faisait
chaud au cœur ! Ferrucio riait en arrêtant sa monture, et en regardant, de l'autre côté de l'étroite vallée,
la sombre silhouette du petit chalet. Un véritable trait
de génie ! Plus il y pensait et plus il avait envie d'aller
réveiller l'occupant de la maisonnette.

Mais il pensa soudain que certains secrets sont
trop précieux pour qu'on les partage avec d'autres

êtres humains, et sa vengeance était si parfaite, une affaire entre lui et le Seigneur, que peut-être la discuter avec quiconque en ternirait la beauté.

Mieux valait ne pas gâter les magnifiques délices de la rancune assouvie par des vantardises.

Avec un rire sauvage, il éperonna les flancs du cheval gris et fonça dans les ténèbres.

Le tonnerre du galop qui s'éloignait réveilla Elizabeth mais sans l'effrayer. Elle n'avait plus peur, désormais, Giacomo dormait, là, contre elle. Elle sentait son cœur battre contre le sien.

A présent, elle était sa femme. Elle pensait à l'avenir qui serait doux, sans nuage. Elle se voyait préparant les repas de Giacomo, attendant le retour du chasseur parti dans la haute montagne, ou bien, partant avec lui sur les pentes boisées, pour dormir sous les étoiles, dans la délicieuse chaleur d'un feu de camp. Ou bien encore, travaillant auprès de lui dans le petit jardin potager, semant ou récoltant sous le ciel incomparable.

Elle se voyait, le soir, devant la cheminée, cette fois changée en professeur, le taquinant, et riant, et l'aidant à lire et à écrire. Elle serait son égale, son associée en toutes choses contribuant par ses talents au déroulement de leur vie commune. A d'autres moments, ils se tiendraient la main, murmurant sous les arbres tandis qu'il la guiderait, comme autrefois, vers les fleurs sauvages.

Ils iraient à Piazza Domenica, souvent, pour voir son père. A l'ombre, ils boiraient du vin ou du café, ils bavarderaient ensemble, amassant un trésor de souvenirs pour les années qui viendraient.

Un jour, elle aiderait Giacomo à construire une pièce de plus derrière le chalet, car il faudrait de la place pour les enfants, un garçon à la peau dorée et aux pieds nus, qui apporterait un melon savoureux, ruisselant de l'eau du puits où il avait trempé la moitié de la journée pour rafraîchir, et l'offrirait avec un tendre sourire à sa mère... une fille en tablier vert et bottines à boutons, qui balbutierait quelques mots d'anglais pour la joie de Giacomo...

Soudain, très loin, Elizabeth entendit hurler un loup. Ce son faisait partie de la montagne, en hiver, elle le savait. Et plus jamais, il ne lui ferait peur.

Elle se glissa sans bruit hors du lit. Elle s'enveloppa dans une couverture et elle s'approcha de la petite fenêtre découpée dans le toit incliné de l'alcôve qui formait leur chambre. Au-dehors, il neigeait. Les cimes lointaines n'étaient que des ombres vagues : elles domineraient toujours Elizabeth, mais elles n'étaient plus des ennemies. Ici, dans le chalet de Giacomo, tout était paisible.

Elizabeth appuya sa joue contre la vitre froide et elle contempla la neige qui adoucissait les contours du paysage. Elle éprouvait l'émerveillement d'un univers intact. Là, elle avait découvert la joie de vivre, et le sens de la vie, ce que nulle autre contrée ne lui avait jamais offert.

La voix de Giacomo s'éleva dans l'ombre.

— Tu vas avoir froid, Elizabetta : reviens te coucher.

Elle se retourna. Il s'était assis sur le lit et lui tendait les bras. Elle s'avança. Il murmura :

— Tu es si belle, Elizabetta !... Je t'aime tellement !...

Elle s'approcha.

— Aime-moi, Giacomo..., souffla-t-elle.

— Toujours. A présent et à jamais.

Elle se blottit dans ses bras. Et comme leurs lèvres se retrouvaient, Elizabeth songea qu'ils ne commençaient pas leur vie d'amour. Ceci n'était qu'un merveilleux moment parmi les autres. L'amour, pour eux, était né dix ans plus tôt. Il les entraînait maintenant en un élan triomphal vers l'infini.

FIN

Achevé d'imprimer
le 19 décembre 1980
sur les presses
de l'imprimerie Cino del Duca,
18, rue de Folin, à Biarritz.
N° 707.

Dépôt légal n° 413.   1er trimestre 1981.